CONTEMPORÁNEA

**Pablo Neruda,** seudónimo de Neftalí Ricardo Reyes, nació en Parral, Linares (Chile), en 1904. De 1920 a 1927 residió en Santiago, y en esta época escribió sus primeros poemas: *La canción de la fiesta* (1921), *Crepusculario* (1923) y *Veinte poemas de amor y una canción desesperada* (1924), títulos que muestran las primeras fases de su evolución, desde sus inicios posrubenianos hasta la adquisición de un tono más personal y libre de la expresión poética. En 1927 empezó su existencia viajera y ocupó varios cargos consulares en China, Ceilán y Birmania. *Residencia en la tierra* (1933) le reveló como un poeta de intensa originalidad, vinculado indirectamente con la corriente surrealista. Entre 1934 y 1938 ocupó el cargo de cónsul de Chile en España, y en estos años entró en contacto con escritores españoles de la Generación del 27. En 1941 se instaló en México y, posteriormente, regresó a su patria donde, en 1945, fue nombrado senador. En 1971 le fue concedido el Premio Nobel de Literatura y fue nombrado por Salvador Allende embajador en París. Murió en 1973, poco después del golpe de Estado de Augusto Pinochet. Póstumamente, en 1974, se publicaron sus memorias bajo el título *Confieso que he vivido*. DeBolsillo presenta ahora una edición de su obra.

Biblioteca

# PABLO NERUDA

*Maremoto / Aún / La espada encendida*
*Las piedras del cielo*

Edición y notas de
**Hernán Loyola**

Prólogos de
**Patricio Fernández**
y
**José Miguel Varas**

⊔ DeBOLS!LLO

Diseño de la portada: Departamento de diseño de Random
  House Mondadori
Directora de arte: Marta Borrell
Diseñadora: Maria Bergós
Fotografía de la portada: © PhotoDisc

Primera edición: abril, 2004

© 1970, Pablo Neruda y Fundación Pablo Neruda
© 1999, Hernán Loyola, por las notas
© 2003, Patricio Fernández, por el prólogo de *Maremoto,
  Aún* y *La espada encendida*
© 2003, José Miguel Varas, por el prólogo de *Las piedras del
  cielo*
© 1999, Círculo de Lectores, S. A. (Sociedad Unipersonal) y
  Galaxia Gutenberg, S. A.
© 2004 de la presente edición:
  Random House Mondadori, S. A.
  Travessera de Gràcia, 47-49. 08021 Barcelona

Nota del editor: Agradecemos la valiosa colaboración de
Susana Kaluzynski, sin cuya ayuda esta edición no hubiera
sido posible

Printed in Spain – Impreso en España

ISBN: 84-9793-258-7 (vol. 367/22)
Depósito legal: B. 12.104 - 2004

Fotocomposición: Comptex & Ass., S. L.

Impreso en Litografia Rosés, S. A.
Progrés, 54-60. Gavà (Barcelona)

P 832587

PRÓLOGO

# El paraíso de los vivos

*Patricio Fernández*

Neruda murió a fines de septiembre de 1973, a escasos días del golpe de Estado, cuando yo acababa de cumplir cuatro años. De esa época me acuerdo de poquísimas cosas: los Hawker Hunters pasando a vuelo rasante por encima del edificio de mi infancia, la enorme bicicleta amarilla de un vecino apoyada en la reja, el parque de Presidente Errázuriz, de aspecto siempre otoñal, caminado por viejos con la vista perdida o empleadas con delantal empujando un coche ajeno. Por esos días el dictador recién estrenado se trasladó a vivir justo enfrente de nuestro departamento, y con él el parque se llenó de tipos raros, de militares en traje de campaña y rostro tiznado, y de civiles de dudosa civilidad. No tengo ni el más remoto recuerdo del entierro del poeta. Sé por lecturas y comentarios de amigos mayores que murió de un cáncer de próstata en la clínica Santa María, a orillas del Mapocho, y que lo velaron en La Chascona, la casa que construyó para vivir con Matilde, a fines de los cincuenta, a los pies del cerro San Cristóbal. Los que fueron dicen que entonces su casa tenía varios vidrios rotos, que había cuadros rajados y un ambiente de miedo y de caos no muy difícil de imaginar. Diego Maquieira, el autor de *La Tirana* y *Los Sea Harriers*, tenía 18 años cuando estuvo ahí, en el momento mismo en que sellaron con sopletes el ataúd. «La casa estaba inundada», me dijo, «porque los vándalos habían abierto las llaves de las tinas, quizás en vez de prenderle fuego. Neruda yacía en el ataúd con una elegante chaqueta de tweed y no me olvidaré nunca de que mientras lo soldaban —ante la mirada mía, de Nemesio Antúnez y de Edelstam, el embajador sueco que, al poco tiempo, tras ser declarado persona non grata, abandonó el país—, Matilde hizo sacar el crucifijo y todas las coronas de flores que lo ro-

deaban.» Al cementerio asistieron casi tantos amigos y segui-
dores como militares armados hasta los dientes. Mal que mal,
se trataba del funeral del comunista más célebre de Chile.

Supongo que el hecho de haber muerto en esas circunstan-
cias le dio una buena mano a la construcción del mito. Rápi-
damente la cara de Neruda quedó estampada en afiches sub-
titulados con alguna estrofa, por lo general del poema 20.
«Puedo escribir los versos más tristes esta noche» llegó a convertirse en un lugar común, donde «esta noche» era la noche
de los tiempos que transcurrían y el rostro del vate la estrella de
una bandera de lucha que flameaba jurando idílicos porveni-
res. El Neruda vivo, contradictorio, coleccionista compulsi-
vo, bebedor refinado, sociable, político pragmático, «picado
de la araña» –como se le dice por acá a los enamorados ca-
lientes, debido, según entiendo, a que hay ciertas arañas que
cuando pican dejan el miembro rígido–, comilón, mundano
y viajero, desapareció tras esa máscara estática, demasiado
simple para ser cierta, demasiado desangulada para un poeta
de su fuste. Así también se le dejó de leer. Con el paso del
tiempo, y quizás básicamente debido a esto mismo, a los escritores de mi generación y de la inmediatamente anterior se
les fue convirtiendo en un personaje lejano y anticuado. En
nuestras conversaciones aparecía con mucha más frecuencia
el nombre de Nicanor Parra o de Enrique Lihn que el de este
monstruo poético al que si bien pocos se atrevían a ningu-
near, pocos también admiraban como se merecía. Se notaba
en esos diálogos una pobre lectura de su obra. Atrás o afuera
(porque el exilio se llevó a la mayoría) quedaban quienes lo
habían conocido de cerca y se habían aproximado a sus versos en los momentos mismos en que éstos se iban producien-
do. No necesito decir que el gobierno militar estuvo lejos de
preocuparse por la difusión de sus escritores. En buena medida, Neruda pertenecía a esa tradición republicana que ellos
acababan de interrumpir, de manera que *a la hora de los
quiubos* –como dicen las pseudoelegantes señoras chilenas–,
es de sospechar que prefirieran su restringida imagen de mili-
tante marxista a la de poeta de un pueblo más vivo y más am-
plio que cualquier ideología. No tengo claro siquiera que sea

correcto, aunque a él le hubiera gustado que así fuera en ciertos momentos de su vida, considerar a Neruda como el vocero de un pueblo. En las *Residencias*, la voz que habla es extremadamente subterránea. No es la voz de un hombre que se manifieste a nombre de otros hombres: es una voz extraña y extrañada, repleta de sentidos ocultos e intraducibles, una voz de hombre que ha dejado incluso de hablar con otros hombres para cantarle a un misterio o entonar la sorpresa, no sé cómo decirlo, de un alrededor configurado por cosas o por el nombre de esas cosas que nadie sabe bien lo que significan. En realidad, hay muchos Nerudas posibles y, sin duda, uno de ellos casi acaricia el panfleto, como a ratos, por ejemplo, en *Las uvas y el viento* o en las *Odas elementales*, donde, a pesar de todo, el poeta sobrevive. Más de alguna vez lo discutí con amigos: incluso en sus peores momentos, el viejo Neftalí Ricardo Reyes se encargó de dar pistas confusas, de abrir ventanas que oreaban sus discursos y perdían sus convicciones en el terreno de la poesía.

A fines de los años cincuenta, tras conocerse los crímenes del mismo Stalin al que santificó antes, Neruda regresa al tono desconcertado e inquietante de su juventud, a las dudas y a las incertezas. «Busqué a los sabios sacerdotes, / los esperé después del rito, / los aceché cuando salían / a visitar a Dios y al Diablo. // Se aburrieron con mis preguntas. / Ellos tampoco sabían mucho...», escribió en *Estravagario*. El año 59, quizás el 60, publica los *Cien sonetos de amor* dedicados a Matilde Urrutia, su tercera mujer. En su libro *Adiós, poeta* Jorge Edwards sostiene que más o menos a partir de esa época, Neruda, a quien conoció de cerca, le daba la impresión de ser algo así como un obispo que ya no orara, un cardenal togado, fiel a todos los ritos de su religión, pero sin fe. Confieso que me fascina esa imagen suya. Siento que volviera a despertarlo, esta vez para mí o para nosotros, los que no lo conocimos, los que llegamos a la adultez dudando de todas las ortodoxias y queriendo despabilarnos de todos los sueños. Al menos de este modo leí yo *La espada encendida*: el fin del paraíso como el comienzo de la vida.

*Maremoto* se publicó en 1968 y *Aún*, un año después. En el primero, Neruda describe el fondo del mar. Bautiza de nuevo a los peces, a los crustáceos y a los mariscos extraviados en el agua. Los erizos son castañas, los peces suspiran, los picorocos princesas que asoman sus uñas por las ventanas de torres encantadas, los langostinos leopardos, las caracolas bocinas, las focas sacos de goma, las jaivas rosas bajo armaduras y los pulpos, monjes encarnizados. «Las olas regresaron a la Biblia», escribe, y fueron la saliva que otra vez nombró a sus criaturas. Algo parecido es lo que sucede con *Aún*, sólo que esta vez son pueblos de Chile, paseos por ahí, livianísimas estampas de un recorrido, apuntes de viaje, testimonios de alguien que pasa «descubriendo, nombrando todas las cosas». Si hemos de ser francos, ambos poemas me parecieron gimnásticos, demasiado nerudianos, entendiendo por tal lo que ese Neruda vivo al que en estas lecturas he ido regresando escribió sin nervio, repitiéndose, copiándose a sí mismo. Rescato, desversificadamente, esta especie de epigrama: «Si hallas en un camino a un niño robando manzanas y a un viejo sordo con un acordeón, recuerda que soy el niño, las manzanas y el anciano. No me hagas daño persiguiendo al niño, no le pegues al viejo vagabundo, no eches al río las manzanas». Y sólo por simpatía, estas otras dos líneas modestas: «Pido perdón por mi mal comportamiento: / no tuvo utilidad mi gestión en la tierra».

*La espada encendida* es otra cosa y sospecho que dice mucho más de lo que dice. Terminó de ser escrita en 1970, el mismo año en que Pablo Neruda fue candidato y Salvador Allende llegó a la presidencia. El poema, sin embargo, no es político. Ni siquiera es discursivo, ni lírico, ni tiene al vate como hablante central. Se trata más bien de una historia o de una narración poética con distintos personajes. Tiene, de algún modo, una estructura dramática, quizás heredada de su obra *Joaquín Murieta* o de las traducciones de Shakespeare (*Romeo y Julieta*) que poco antes realizó Neruda. No sé si lo he dicho previamente, pero no soy un nerudiano experto ni nada que se le parezca, de modo que cualquier otra conclusión puede ser mucho más acertada. Rhodo y Rosía, los protagonistas de esta historia, tras abandonar la civilización, se encuentran en los bosques del sur de Chile. Ambos han dejado atrás las ciudades devastadas para, una vez más, hacerse parte de la naturaleza. Es decir, llegan por separado al comienzo de la humanidad dejando atrás su último capítulo. Ella y él estaban solos hasta que se encuentran, cada uno cargando, por separado, la culpa del crimen de la especie. Otra vez aparece la imagen del erizo y la castaña: Rhodo «encontró a una mujer parecida a un erizo, a una castaña». No tiene mucho sentido que les intente clarificar la trama. Prefiero destacar algunos de los versos que más me gustaron como, por ejemplo, este trozo de una declaración de amor, parte de lo que Neruda llamó «El enlutado»: «Rosía, cierra tus ojos pasajeros: / fatigada, resuelve la luz y enciende el vino: / duérmete y deja caer las hojas de tus sueños, / cierra tu boca y déjame que bese tu silencio. // Nunca amé sino sombras que transformé en estatuas / y no sabía yo que no vivía». La espada encendida de Dios que, según el Génesis, expulsó a Eva y a Adán del Paraíso, aquí es la lava del volcán que baja arrasando con todo. Rhodo y Rosía necesitan llegar al mar, avanzar hacia la muerte que es el mar, por el río de la vida, como dijo el famoso Fray Luis. El poema está lleno de metáforas, pero hay pocas maneras tan eficientes de matar un poema como pretender develarlas o darles un significado. Prefiero recordar, a riesgo de parecer chismoso, que por esa época Neruda se enamoró de su esposa. Cuentan que Matilde lo pilló *in fraganti* y que no tardaron en partir a París como embajadores, aunque las malas lenguas dicen que el poeta no quería. En el mundo las cosas andaban revueltas. A la Primavera de Praga se le habían caído todas las flores. Estados Unidos estaba en plena guerra de Vietnam. La Unidad Popular acababa de llegar al gobierno y los obreros sentían suyas por primera vez las calles de Santiago. El planeta estaba en plena ebullición, pero Neruda escribió, contra todo pronóstico, una rara profecía: que un hombre y una mujer solos salvarían a la humanidad. Algo así como un Deucalión y una Pirra que en vez de disparar hacia el frente, prometerían futuro botando peñascos a sus espaldas. Ningún gran movimiento, simplemente ese indescifrable, incómodo, infinitamente complejo encuentro de dos. A fin de cuentas, la barca de los locos.

# Maremoto

[1968]

## Maremoto

Los relojes del mar,
las alcachofas,
las alcancías con sus llamaradas,
los bolsillos del mar
a manos llenas,
las lámparas del agua,
los zapatos, las botas
del océano,
los cefalópodos, las holoturias,
los recalcitrantes cangrejos,
ciertos peces que nadan y suspiran,
los erizos que salen
de los castaños del profundo mar,
los paraguas azules del océano,
los telegramas rotos,
el vals sobre las olas,
todo me lo regala el maremoto.

Las olas regresaron a la Biblia:
hoja por hoja el agua se cerró:
volvió al centro del mar toda la cólera,
pero entre ceja y ceja me quedaron
los variados e inútiles tesoros
que me dejó su amor desmantelado
y su rosa sombría.

Toquen este producto:
aquí mis manos trabajaron
diminutos sarcófagos de sal
destinados a seres y substancias,
feroces en su cárdena belleza,
en sus estigmas calcáreos,
fugaces

porque se alimentarán
nosotros y otros seres
de tanta flor y luz devoradoras.

Lo que dejó en la puerta el maremoto,
la frágil fuerza, el ojo submarino,
los animales ciegos de la ola,
me inducen al conflicto,
al ven y ven y aléjate, oh tormento,
a mi marea oculta por el mar.

Mariscos resbalados en la arena,
brazos resbaladizos,
estómagos del agua,
armaduras abiertas a la entrada
de la repetición y el movimiento,
púas, ventosas, lenguas,
pequeños cuerpos fríos,
maltratados
por la implacable eternidad del agua,
por la ira del viento.

Ser y no ser aquí se amalgamaron
en radiantes y hambrientas estructuras:
arde la vida y sale
a pasear un relámpago la muerte.
Yo sólo soy testigo
de la electricidad y la hermosura
que llenan el sosiego devorante.


## Picoroco


El Picoroco encarcelado
está en una torre terrible,

saca una garra azul, palpita
desesperado en el tormento.

Es tierno adentro de su torre:
blanco como harina del mar
pero nadie alcanza el secreto
de su frío castillo gótico.

## Alga

Yo soy un alga procelaria
combatida por las mareas:
me estremecieron y educaron
los movimientos del naufragio
y las manos de la tormenta:
aquí tenéis mis flores frías:
mi simulada sumisión
a los dictámenes del viento:
porque yo sobrevivo al agua,
a la sal, a los pescadores,
con mi elástica latitud
y mi vestidura de yodo.

## Erizo

El Erizo es el sol del mar,
centrífugo y anaranjado,
lleno de púas como llamas,
hecho de huevos y de yodo.

El Erizo es como el mundo:
redondo, frágil, escondido:

húmedo, secreto y hostil:
el Erizo es como el amor.


## Estrellas


Cuando en el cielo las estrellas
desestiman el firmamento
y se van a dormir de día,
las estrellas de agua saludan
al cielo enterrado en el mar
inaugurando los deberes
del nuevo cielo submarino.


## Conchas


Conchas vacías de la arena
que dejó el mar cuando se fue,
cuando se fue el mar a viajar,
a viajar por los otros mares.

Dejó las conchas marineras,
pulidas por su maestría,
blancas de tanto ser besadas
por el mar que se fue de viaje.

## Langostino

Alto! casuales leopardos
de las orillas, asaltantes
curvos como alfanjes rosados
de la crudeza submarina,
mordiendo todos a la vez,
ondulando como la fiebre
hasta que caen en la red
y salen vestidos de azul
a la catástrofe escarlata.

## Caracola

La caracola espera el viento
acostada en la luz del mar:
quiere una voz de color negro
que llene todas las distancias
como el piano del poderío,
como la bocina de Dios
para los textos escolares:
quiere que soplen su silencio:
hasta que el mar inmovilice
su amarga insistencia de plomo.

## Foca

El nudo de la zoología
es esta foca funcional

que vive en un saco de goma
o en la luz negra de su piel.

Circulan adentro de ella
los movimientos inherentes
a la monarquía del mar
y se ve a este ser encerrado
en la gimnasia del tormento
descubrir el mundo rodando
por las escaleras de hielo
hasta mirarnos con los ojos
más penetrantes del planeta.

## Anémona

La flor del peñasco salado
abre y cancela su corona
por la voluntad de la sal,
por el apetito del agua.

Oh corola de carne fría
y de pistilos vibradores
anémona viuda, intestino.

## Jaiva

La Jaiva color de violeta
acecha en un rincón del mar:
sus tenazas son dos enigmas:
su apetito es un agujero.

Luego agoniza su armadura
en la sopera del infierno
y ahora no es más que una rosa:
la rosa roja comestible.


## Delfín de bronce

Si cayera al mar el Delfín
se iría al fondo, caería
con su volumen amarillo.

Entre los peces de verdad
sería un objeto extranjero,
un pez sin alma y sin idioma.

Hasta que el mar lo devorara
royendo su orgullo de bronce
y convirtiéndolo en arena.


## Pulpos

Oh pulpo, oh monje encarnizado,
la vibración de tu atavío
circula en la sal de la roca
como un satánico desliz.
Oh testimonio visceral,
ramo de rayos congelados,
cabeza de una monarquía
de brazos y presentimientos:
retrato del escalofrío,
nube plural de lluvia negra.

## Sol de mar

Yo encontré en Isla Negra un día,
un sol acostado en la arena,
un sol centrífugo y central
cubierto de dedos de oro
y ventosas como alfileres.

Recogí el sol enarenado
y levantándolo a la luz
lo comparé con el del cielo.

No se miraron ni se vieron.


## Albacoras

La puerta del mar custodiada
por dos albacoras marinas
se han abierto de par en mar,
se han abierto de mar en par,
se han abierto de par en par.

Las albacoras son de Iquique
y son del océano azul
que llega hasta Vladivostock
y que crece desde mis pies.

Las albacoras centinelas
de espadas longitudinales
cerraron la puerta del mar
y se disponen a velar
para que no entren los sistemas
en el desorden del océano.

## Pescadería

Cuelgan los peces de la cola,
brillan los peces derramados,
demuestran su plata los peces,
aún amenazan los cangrejos.
Sobre el mesón condecorado
por las escamas submarinas
sólo falta el cuerpo del mar
que no se muere ni se vende.

## Adiós a los productos del mar

Volved, volved al mar
desde estas hojas!

Peces, mariscos, algas
escapadas del frío,
volved a la cintura
del Pacífico,
al beso atolondrado
de la ola, a la razón
secreta de la roca!

Oh escondidos,
desnudos, sumergidos,
deslizantes,
es hora
de dividirnos y separarnos:
el papel me reclama,
la tinta, los tinteros,
las imprentas, las cartas,
los cartones,

las letras y los números
se amontonaron en cubiles desde
donde
me acechan: las mujeres
y los hombres
quieren mi amor, piden mi compañía,
los niños de Petorca,
de Atacama, de Arauco,
de Loncoche,
quieren jugar también con el poeta!

Me espera un tren, un buque
cargado de manzanas,
un avión, un arado,
unas espigas.

Adiós, organizados
frutos del agua, adiós
camarones vestidos
de imperiales,
volveré, volveremos
a la unidad ahora
interrumpida.
Pertenezco a la arena:
volveré al mar redondo
y a su flora
y su furia:
ahora me voy
silbando
por las calles.

# Aún

[1969]

# I

Hoy es el día más, el que traía
una desesperada claridad que murió.
Que no lo sepan los agazapados:
todo debe quedar entre nosotros,
día, entre tu campana
y mi secreto.

Hoy es el ancho invierno de la comarca olvidada
que con una cruz en el mapa y un volcán en la nieve
viene a verme, a volverme, a devolverme el agua
desplomada en el techo de mi infancia.
Hoy cuando el sol comenzó con sus espigas
a contar el relato más claro y más antiguo
como una cimitarra cayó la oblicua lluvia,
la lluvia que agradece mi corazón amargo.

Tú, mi bella, dormida aún en agosto,
mi reina, mi mujer, mi extensión, geografía,
beso de barro, cítara que cubren los carbones,
tú, vestidura de mi porfiado canto,
hoy otra vez renaces y con el agua negra
del cielo me confundes y me obligas:
debo reanudar mis huesos en tu reino,
debo aclarar aún mis deberes terrestres.

# II

Araucanía, rosa mojada, diviso
adentro de mí mismo o en las provincias del agua
tus raíces, las copas de los desenterrados,

con los alerces rotos, las araucarias muertas,
y tu nombre reluce en mis capítulos
como los peces pescados en el canasto amarillo!
Eres también patria plateada y hueles mal,
a rencor, a borrasca, a escalofrío.

Hoy que un día creció para ser ancho
como la tierra o más extenso aún,
cuando se abrió la luz mostrando el territorio
llegó tu lluvia y trajo en sus espadas
el retrato de ayer acribillado,
el amor de la tierra insoportable,
con aquellos caminos que me llevan
al Polo Sur, entre árboles quemados.


# III


Invierna, Araucanía, Lonquimaya!
Leviathana, Archipiélaga, Oceana!

Pienso que el español de zapatos morados
montado en la invasión como en la náusea,
en su caballo como en una ola,
el descubridor, bajó de su Guatemala,
de los pasteles de maíz con olor a tumba,
de aquel calor de parto que inunda las Antillas,
para llegar aquí, de descalabro en derrota,
para perder la espada, la pared, la Santísima,
y luego perder los pies y las piernas
y el alma.
Ahora en este 65 que cumplo
mirando hacia atrás,
hacia arriba,

hacia abajo,
me puse a descubrir descubridores.
Pasa Colón con el primer colibrí
(pájaro de pulsera), relampaguito,
pasa don Pedro de Valdivia sin sombrero
y luego, de regreso, sin cabeza,
pasa Pizarro entre otros hombres tristes.
Y también don Alonso, el claro Ercilla.

## IV

Ercilla el ramificado, el polvoroso,
el diamantino, el pobre caballero,
por estas aguas anduvo, navegó estos caminos,
y aunque les pareció petimetre a los buitres
y éstos lo devolvieron, como carta sobrante,
a España pedregosa y polvorienta,
él solamente solo nos descubrió a nosotros:
solo este abundantísimo palomo
se enmarañó en nosotros hasta ahora
y nos dejó en su testamento
un duradero amor ensangrentado.

## V

Bueno pues, llegaron otros:
eximios, medidores, chilenos meditativos
que hicieron casas húmedas en que yo me crié
y levantaron la bandera chilena
en aquel frío para que se helara,

en aquel viento para que viviera,
en plena lluvia para que llorara.
Se llenó el mundo de carabineros,
aparecieron las ferreterías,
los paraguas
fueron las nuevas aves regionales:
mi padre me regaló una capa
desde su poncho invicto de Castilla
y hasta llegaron libros
a la Frontera como se llamó
aquel capítulo que yo no escribí
sino que me escribieron.

Los araucanos se volvieron raíz!
Les fueron quitando hojas
hasta que sólo fueron esqueleto
de raza, o árbol ya destituido,
y no fue tanto el sufrimiento antiguo
puesto que ellos pelearon como vertiginosos,
como piedras, como sacos, como ángeles,
sino que ahora ellos, los honorarios,
sintieron que el terreno les faltaba,
la tierra se les iba de los pies:
ya había reinado en Arauco la sangre:
llegó el reino del robo:
y los ladrones éramos nosotros.


# VI


Perdón si cuando quiero
contar mi vida
es tierra lo que cuento.
Ésta es la tierra.

Crece en tu sangre
y creces.
Si se apaga en tu sangre
tú te apagas.


## VII


Yumbel!
Yumbel, Yumbel!
De dónde
salió tu nombre al sol?
Por qué la luz
tintinea en tu nombre?
Por qué, por la mañana
tu nombre como un aro
sale sonando de las herrerías?


## VIII


Angol sucede seco
como un golpe de pájaro
en la selva,
como un canto
de hacha desnuda
que le pega a un roble.
Angol, Angol, Angol,
hacha profunda,
canto
de piedra pura
en la montaña,

clave de las herencias,
palabra como el vuelo
del halcón enlutado,
centrífugo, fugante
en las almenas
de la noche nevada!


## IX


Temuco, corazón de agua,
patrimonio
del digital: antaño
tu casa arbórea
fueron cuna y campana
de mi canto
y fortaleza
de mi soledad.


## X


Boroa clara,
manzana cristalina
y elemento
de la fecundidad, yo sigo
tus recostadas sílabas
irse en el río,
irse
en el transcurso
de la plata sombría
que corre en la frescura.

## XI

Arpa de Osorno bajo los volcanes!
Suenan las cuerdas oscuras
arrancadas al bosque.
Mírate en el espejo de madera!
Consúmete
en la más poderosa
fragancia del otoño
cuando las ramas dejan
caer hoja por hoja
un planeta amarillo
y sube sangre para que los volcanes
preparen fuego cada día.

## XII

Torre fría del mundo,
volcán, dedo de nieve
que me siguió por toda la existencia:
sobre la nave mía el mastelero
y aún oh primavera atolondrada,
viajero intermitente,
en el arañadero
de Buenos Aires, lejos
de donde me hice yo,
de donde me hice mí,
en Katiabar, en Sandokán, en Praga,
en Mollendo, en Toledo, en Guayaquil
con mi volcán a cuestas,
con mi nieve,
con fuego austral y noche calcinada,

con lenguas de volcán, con lava lenta
devorando la estrella.
Ígneo deudor, compañero de nieve,
a donde fui conmigo
fui contigo,
torre de las secretas neverías,
fábrica de las llamas patriarcales.


## XIII


Crece el hombre con todo lo que crece
y se acrecienta Pedro con su río,
con el árbol que sube sin hablar,
por eso mi palabra crece
y crece:
viene de aquel silencio con raíces,
de los días del trigo,
de aquellos gérmenes intransferibles,
del agua extensa,
del sol cerrado sin su consentimiento,
de los caballos sudando en la lluvia.


## XIV


Todos me reclamaban,
me decían: «Idiota,
quédate aquí. Está tibia
la cama en el jardín
y a tu balcón se asoman
los jazmines, honor

de Europa, el vino
suave toro
sube hasta el Partenón, Racine dirige
los árboles rimados y Petrarca
sigue siendo de mármol y de oro».

No pude ir sin volver a parte alguna:
la tierra me prestaba, me perdía
y pronto, tarde ya, golpeaba el muro
o desde un pájaro me reclamaba.

Me sentí vagamente tricolor
y el penetrante signo del ají,
ciertas comidas, los tomates frescos,
las guitarras de octubre, las ciudades
inconclusas, las páginas del bosque
no leídas aún en sus totales:
aquella catarata
que en el salvaje Aysén cae partiendo
una roca en dos senos salpicados
por la blancura torrencial, la luna
en las tablas podridas de Loncoche,
el olor a mercado pobre, a cholga seca,
a iglesia, a alerce, allá en el archipiélago,
mi casa, mi Partido, en el fuego de cada día,
y tú misma sureña, compañera de mi alma,
patrona de mis ojos, centinela,
todo lo que se llama lluvia y se llama patria,
lo que te ignora y te hiere y te acaricia a veces,
todo eso, un rumor cada semana más abierto,
cada noche más estrellado, cada vez más preciso,
me hizo volver y quedarme y no volver a partir:
que sepa todo el mundo que por lo menos en mí
la tierra me propone, me dispone y me embarga.

## XV

Nosotros, los perecederos, tocamos los metales,
el viento, las orillas del océano, las piedras,
sabiendo que seguirán, inmóviles o ardientes,
y yo fui descubriendo, nombrando todas las cosas:
fue mi destino amar y despedirme.

## XVI

Cada uno en el saco más oculto guardó
las alhajas perdidas del recuerdo,
intenso amor, noches secretas o besos permanentes,
el trozo de dicha pública o privada.
Algunos, retozones, coleccionaron caderas,
otros hombres amaron la madrugada escarbando
cordilleras o témpanos, locomotoras, números.
Para mí la dicha fue compartir cantando,
alabando, imprecando, llorando con mil ojos.
Pido perdón por mi mal comportamiento:
no tuvo utilidad mi gestión en la tierra.

## XVII

Fue temblorosa la noche de septiembre.
Yo traía en mi ropa
la tristeza del tren que me traía
cruzando una por una las provincias:
yo era ese ser remoto

turbado por el humo del carbón
de la locomotora.
Yo no era.
Tuve que ver entonces con la vida.
Mi poesía me incomunicaba
y me agregaba a todos.
Aquella noche a mí
me tocó declarar la Primavera.
A mí, pobre sombrío,
me hicieron desatar la vestimenta
de la noche desnuda.
Temblé leyendo ante dos mil orejas desiguales
mi canto.
La noche ardió
con todo el fuego oscuro
que se multiplicaba en la ciudad,
en la urgencia imperiosa del contacto.

Murió la soledad aquella vez?
O nací entonces, de mi soledad?


# XVIII


Los días no se descartan ni se suman, son abejas
que ardieron de dulzura o enfurecieron
el aguijón: el certamen continúa,
van y vienen los viajes desde la miel al dolor.
No, no se deshila la red de los años: no hay red.
No caen gota a gota desde un río: no hay río.
El sueño no divide la vida en dos mitades,
ni la acción, ni el silencio, ni la virtud:
fue como una piedra la vida, un solo movimiento,
una sola fogata que reverberó en el follaje,

una flecha, una sola, lenta o activa, un metal
que ascendió y descendió quemándose en tus huesos.


## XIX

Mi abuelo don José Ángel Reyes vivió
ciento dos años entre Parral y la muerte.
Era un gran caballero campesino
con poca tierra y demasiados hijos.
De cien años de edad lo estoy viendo: nevado
era este viejo, azul era su antigua barba
y aún entraba en los trenes para verme crecer,
en carro de tercera, de Cauquenes al Sur.
Llegaba el sempiterno don José Ángel, el viejo,
a tomar una copa, la última, conmigo:
su mano de cien años levantaba
el vino que temblaba como una mariposa.


## XX

Otras cosas he visto, tal vez nada, países
purpúreos, estuarios que traían del útero
de la tierra, el olor seminal del origen,
países ferruginosos con cuevas de diamantes
(Ciudad Bolívar, allá en el Orinoco)
y en otro reino estuve, de color amaranto
en que todos y todas eran reyes y reinas
de color amaranto.

## XXI

Yo viví en la baraja de patrias no nacidas,
en colonias que aún no sabían nacer,
con banderas inéditas que se ensangrentarían.
Yo viví en el fogón de pueblos malheridos
comiendo el pan extraño con mi padecimiento.

## XXII

Alguna vez, cerca de Antofagasta,
entre las malgastadas vidas del hombre
y el círculo arenoso
de la pampa,
sin ver ni oír me detuve en la nada:
el aire es vertical en el desierto:
no hay animales (ni siquiera moscas),
sólo la tierra, como la luna, sin caminos,
sólo la plenitud inferior del planeta,
los kilómetros densos de noche y material.
Yo allí solo, buscando la razón de la tierra
sin hombres y sin alas, poderosa,
sola en su magnitud, como si hubiera
destruido una por una las vidas
para establecer su silencio.

## XXIII

Arenas de Isla Negra, cinturón,
estrella demolida, cinta de la certeza:

el peligro del mar azota con su rosa
la piedra desplegada de la costa.
Abrupta estirpe, litoral combate!
Hasta Quebrada Verde, por el frío,
como un diamante se detuvo el día
poderoso, como un avión azul.

El sol nuevo amontona sus espadas
desde abajo y enciende el horizonte
rompiendo ola por ola su dominio.
Arrugas del conflicto! Quebrada
de Mirasol, por donde
corrió el carro glacial del ventisquero
dejando esta cortante cicatriz:
el mar abajo muere y agoniza
y nace y muere y muere
y nace y muere y nace.


## XXIV


La Ballenera de Quintay, vacía
con sus bodegas, sus escombros muertos,
la sangre aún sobre las rocas, los
huesos de los monárquicos cetáceos,
hierro roído, viento y mar, el graznido
del albatros que espera.

Se fueron las ballenas: a otro mar?
Huyeron de la costa encarnizada?
O sumergidas en el suave lodo
de la profundidad piden castigo
para los oceánicos chilenos?

Y nadie defendió a las gigantescas!

Hoy, en el mes de julio
resbalo aún en el aceite helado:
se me van los zapatos hacia el Polo
como si las presencias invisibles
me empujaran al mar,
y una melancolía grave como el invierno
va llevando mis pies
por la deshabitada ballenera.


## XXV


Se va el hoy. Fue una cápsula
de fría luz que volvió a su recinto,
a su madre sombría, a renacer.
Lo dejo ahora envuelto en su linaje.
Es verdad, día, que participé en la luz?
Tiempo, soy parte de tu catarata?
Arenas mías, soledades!

Si es verdad que nos vamos,
nos fuimos consumiendo
a plena sal marina
y a golpes de relámpago.
Mi razón ha vivido a la intemperie,
entregué al mar mi corazón calcáreo.

## XXVI

Si hay una piedra devorada
en ella tengo parte:
estuve yo en la ráfaga,
en la ola,
en el incendio terrestre.

Respeta esa piedra perdida.

Si hallas en un camino
a un niño
robando manzanas
y a un viejo sordo
con un acordeón,
recuerda que yo soy
el niño, las manzanas y el anciano.
No me hagas daño persiguiendo al niño,
no le pegues al viejo vagabundo,
no eches al río las manzanas.

## XXVII

Hasta aquí estoy.
Estamos.
Los lineales, los encarnizados,
los sombrereros que pasaron la vida
midiendo mi cabeza y tu cabeza,
los cinturistas
que se pegaban a cada cintura,
a cada teta del mundo.
Aquí vamos a seguir codo a codo

con los anacoretas,
con el joven con su tierna indigestión de guerrillas,
con los tradicionales que se ofuscaban
porque nadie quería comer mierda.
Pero además,
honor del día fresco,
la juventud del rocío,
la mañana del mundo,
lo que crece a pesar
del tiempo amargo:
el orden puro
que necesitamos.

## XXVIII

Hasta luego, invitado.
Buenos días.
Sucedió mi poema
para ti, para nadie,
para todos.

Voy a rogarte: déjame intranquilo.
Vivo con el océano intratable
y me cuesta mucho el silencio.

Me muero con cada ola cada día.
Me muero con cada día en cada ola.
Pero el día no muere
nunca.
No muere.
Y la ola?
No muere.

Gracias.

# La espada encendida

[1969-1970]

*Echó, pues, fuera al hombre, y puso al oriente
del huerto de Edén querubines, y una espada
encendida que se revolvía por todos lados para
guardar el camino del árbol de la vida.*

GÉNESIS, III, 24

*En esta fábula se relata la historia de un fugitivo de las gran-*
*des devastaciones que terminaron con la humanidad. Funda-*
*dor de un reino emplazado en las espaciosas soledades maga-*
*llánicas, se decide a ser el último habitante del mundo, hasta*
*que aparece en su territorio una doncella evadida de la ciu-*
*dad áurea de los Césares.*

*El destino que los llevó a confundirse levanta contra ellos la*
*antigua espada encendida del nuevo Edén salvaje y solitario.*

*Al producirse la cólera y la muerte de Dios, en la escena*
*iluminada por el gran volcán, estos seres adánicos toman*
*conciencia de su propia divinidad.*

# I

Lo cierto es que en la cordillera necesaria,
bajo el volcán de siete lenguas, allí
donde por todas partes la voz vertiginosa
del agua, hija nevada, descendió,
nada puede nacer sino los días en el bosque,
temblorosos de viento y de rocío.

La voluntad de los motores se consumía lejos:
el humo de los trenes iba hacia las ciudades
y yo, el empecinado, minero del silencio,
hallé la zona sombra, el día cero,
donde el tiempo parecía volver
como un viejo elefante, o detenerse,
para morir tal vez, para seguir tal vez,
pero entre noche y noche se preparaba el siguiente,
el día sucesivo como una gota.

Y aquí comienza esta sonata negra.


# II

Rhodo, pétreo patriarca, la vio sin verla, era
Rosía, hija cesárea, labradora.

Ancha de pechos, breve de boca y ojos,
salía a buscar agua y era un cántaro,
salía a lavar ropa y era pura,
cruzaba por la nieve y era nieve,
era estática como el ventisquero,
invisible y fragante era Rosía Raíz.

Rhodo la destinó, sin saberlo, al silencio.

Era el cerco glacial de la naturaleza:
de Aysén al Sur la Patagonia infligió
las desoladas cláusulas del invierno terrestre.

La cabeza de Rhodo vivía en la bruma,
de cicatriz en cicatriz volcánica,
sin cesar a caballo, persiguiendo
el olor, la distancia, la paz de las praderas.

## III

APARICIÓN Y fue allí donde ella se apareció desnuda
entre nieves y llamas, entre guerra y rocío,
como si bajo el techo del huracán se encendiera
un vuelo de palomas perdidas en el frío
y una de ellas cayera contra el pecho de Rhodo
y allí hubiera estallado su blancura.

## IV

DESDE LAS Rhodo el guerrero había transmigrado
GUERRAS desde los arenales del Gran Desierto:
la edad de las lanzas verdes vivió, el trueno
de las caballerías, la dirección del rayo.

La sangre fue bandera del terrible.

La muerte lo enlutó de manera espaciosa
como a tierra nocturna,

hasta que decidió dedicarse al silencio,
a la profundidad desconocida,
y buscó tierra para un nuevo reino,
aguas azules para lavar la sangre.

(En el extremo de Chile se rompe el planeta:
el mar y el fuego, la ciencia de las olas,
los golpes del volcán, el martillo del viento,
la racha dura con su filo furioso,
cortaron tierras y aguas, las separaron: crecieron
islas de fósforo, estrellas verdes, canales invitados,
selvas como racimos, roncos desfiladeros:
en aquel mundo de fragancia fría
Rhodo fundó su reino.)


## V


LAS
ESTATUAS
Sus setenta mujeres se habían convertido en sal,
y por los monasterios de la naturaleza,
fuego y rencor, Rhodo contempló las estatuas
diseminadas en la noche forestal.

Allí estaba la que parió sus hijos errantes:
Niobe, la roja, ya sin voz y sin ojos
erigida en su olvido de alabastro.

Y allí también prisionera, Rama, la delicada,
y Beatriz de tan interminable cabellera
que cuando se peinaba llovía en Rayaruca:
caía de su cabeza lluvia verde,
hebras oscuras descendían del cielo.
Y Rama, la que robaba frutas,
trepada a la incitante tormenta como a un árbol
poblado de manzanas y relámpagos.

Y Abigail, Teresara, Dafna, Leona,
Dulceluz, Lucía, Blancaflor, Loreto,
Cascabela, Cristina, Delgadina,
Encarnación, Remedios, Catalina, Granada,
Petronila, Doralisa, Dorada, Dorotea,
allí bajo las bóvedas de cuarzo, yacían
mudas, ferruginosas, quemadas por la nieve
o elevaban piernas y pechos cubiertos de musgo,
roídas por las raíces de árboles imperiosos.


## VI


EL
SOLITARIO Rhodo, en la soledad, entre las muertas,
cubría su corazón con lianas indomables:
no quería nada de aquel esplendor:
no tenía la culpa de aquellas estatuas rotas:
ellas acompañaron su pasado
y sus formas nacieron
como peñones de ágata o como cuerpos
de cascada en la selva: la insistencia
que con un rayo inmóvil destruye como el mar.

Pero él llegó a Araucaria con un mandato:
la salud de la selva: la virginal vigencia
del primer hombre y su primer deber
fue sólo una infinita soledad.


## VII


LA TIERRA Por sobre los follajes de Traihuán
vuela la lentitud de los flamencos
hacia las aguas de Pichivar y Longoleo.

La bandurria salpica con canto de cuchara
la dulzura fluvial de estas oceanías,
el ave carpintera reparte en los raulíes
una correspondencia con gotas de rocío,
el puma abre los ojos y desarrolla el miedo:
todo vive en la selva fría que se parece a la muerte:
dentro de cada sombra crece un vuelo,
las garras viven entre las raíces.


# VIII

EL
AMOR

Rosía desnuda en la agricultura enmarañada,
Rosía blanca y azul, fina de pétalos,
clara de muslos, sombría de cabellos,
se abrió para que entrara Rhodo en ella
y un estertor o un trueno
manifestó la tierra:
el río torrencial saludaba a la luna:
dos estirpes contrarias se habían confundido.

Y de pronto el gigante de la gran cordillera
y la fragancia hija de la nieve
se sintieron desnudos y se destinaron:
eran de nuevo dos inocentes perdidos,
mordidos por la serpiente de fuego,
otra vez solos en el jardín original.

La escarcha del nuevo día se complicó en la hierba,
la nupcial platería que congeló el rocío
cubrió el inmenso lecho de Rosía terrestre,
y ella entreabrió entre sueños otra vez su delicia
para que Rhodo penetrara en ella.

Así fue procreado en la luz fría
un nuevo mundo interno
como un panal salvaje
y otra vez el origen del hombre remontó
todo el secreto río de las edades muertas
a regar y cantar y temblar y fundar
bajo la poderosa sombra blanca
de los volcanes y sus piedras magnéticas.

IX

EL      El fundador detuvo el paso: Rosía Verde
HALLAZGO parecía un pedazo desprendido a la luna:
un cuerpo horizontal caído de la noche:
un silencio desnudo entre las hojas.

Amó de nuevo Rhodo con tormento,
con furia sigilosa, con dolor:
cada sombra en sus ojos le parecía un desdén,
y la inmovilidad de su novia campestre
hizo dudar a Rhodo de la dicha:
a quién reservó la suave su suavidad de musgo?
para quién destinó sus anteriores manos?
en qué estaba pensando con los ojos cerrados?
Pedía posesión de su cuerpo y su miel,
de su cada minuto y cada pelo,
posesión de su sueño y de sus párpados,
de su sexo hasta el fondo, de sus pies labradores,
de su pasado entero, de su día siguiente,
de sus sutiles huellas en la nieve
y mientras más la tuvo, devorándola
en el abrazo cuerpo a cuerpo que los aniquilaba,
él parecía consumirla menos,

como si la galana de los bosques, la huérfana,
la muchacha casual con aroma de leña
hubiera abierto una herida como un pozo sus pies
y por allí cayera el trueno que él trajo al mundo.
Rhodo reconoció su derrota besando
en la boca de Rosía su propio amor salvaje
y ella se estremeció como si la quemara
un rayo de oro que encendió su sexo
y paseó el incendio sobre su alma.

X

LAS
FIERAS
Se deseaban, se lograban, se destruían,
se ardían, se rompían, se caían de bruces
el uno dentro del otro, en una lucha a muerte,
se enmarañaban, se perseguían, se odiaban,
se buscaban, se destrozaban de amor,
volvían a temerse y a maldecirse y a amarse,
se negaban cerrando los ojos. Y los puños
de Rosía golpeaban el muro de la noche,
sin dormir, mientras Rhodo desde su almena cruel
vigilaba el peligro de las fieras despiertas
sabiendo que él llevaba el puma en su sangre,
y aullaba un león agónico en la noche sin sueño
de Rhodo, y la mañana le traía
a su novia desnuda, cubierta de rocío,
fresca de nieve como una paloma,
incierta aún entre el amor y el odio,
y allí los dos inciertos resplandecían de nuevo
mordiéndose y besándose y arrastrándose al lecho
en donde se quedaba desmayada la furia.

## XI

EL　　Ciento treinta años tenía Rhodo, el viejo.
HOMBRE　Rosía sin edad era una piedrecita
　　　　que el mismo viento de Nahuelbuta amarga
　　　　hubiera suavizado como una intacta almendra:
　　　　bella y serena era como una piedra blanca
　　　　en los brazos de Rhodo, el milenario.

## XII

EL　　　Varona, dijo el señor silvestre,
CONO-　por qué sabemos que estamos desnudos?
CIMIENTO　Todos los frutos nos pertenecían
　　　　y los siete volcanes iracundos supieron
　　　　que sin tus ojos yo no podía vivir,
　　　　que sin tu cuerpo entraba en la agonía
　　　　y sin tu ser me sentía perdido.

Ahora la ciudadela sin murallas,
las cascadas de sal, la luna en los cipreses,
la selva de rabiosas raíces, el silencio,
los muermos estrellados, la soledad vacía,
acuática, volcánica, la que busqué a pesar
y en contra de mí mismo, el reino amargo,
tempestuoso, fundado a sol y a lluvia,
con las estatuas muertas del pasado
y el rumor de la primavera en las abejas del ulmo,
la espesura que el canto del chucao taladra
como risa o sollozo o exhalación o fuga
y los nevados de Ralún, donde comienza
el terrible archipiélago con sus campanas de frío,

Varona mía, Evarosa, Rosaflor,
se despiden de mí, porque sabemos.

Es la selva del árbol de la vida. El racimo
de cada planta, el peso de la fruta salvaje,
nos nutrió de repente, y estuvimos desnudos
hasta morir de amor y de dolor.

## XIII

LA
CULPA El sufrimiento fue como una sangre negra
que por las venas subió sin descanso
cuando el goce bajaba del árbol de vida:
allí estaban los dos hijos terribles del amor desdichado
en una selva
que de pronto se unió, piedra y enredaderas,
para ahogarlos sin ruido de agua entre las hojas,
para darles tormento en cada beso,
para empujarlos hacia la salida glacial.
Comenzaron por huirse y llamarse,
por agredirse en pie y amarse de rodillas,
morder cada rincón de los cuerpos amados,
herirse sin tregua hasta morir cada día
sin comprender, rodeados por los bosques hostiles
que compartieron algo y no sobrevivieron,
algo probaron que les quemó la sangre
y la naturaleza, nieve y noche,
los persiguió de nieve en nieve y noche en noche,
de volcán en volcán, de río a río,
para darles la vida o aniquilarlos juntos.

# XIV

EL     Ahora, el que cuenta esta historia te pregunta, viajero,
POETA  si Dios no visitó sus patagonias,
INTERROGA si allí, en el último Edén, el de los dolores,
          nadie apareció sentado en el cielo,
          quién o qué cosa, trueno o árbol o falso dios,
          dictó de nuevo el castigo para los amorosos?

# XV

SOBREVIVIENTES  Qué había pasado en la tierra?
                Es este último hombre o primer hombre?
                En tierras desdichadas o felices?
                Por qué fundar la humanidad de nuevo?
                Por qué saltaba el sol de rama en rama
                hasta cantar con garganta de pájaro?
                Qué debo hacer, decía el viento,
                y por qué debo convertirme en oro,
                decía el trigo, no vale la pena
                llegar al pan sin manos y sin bocas:
                el vacío terrestre
                está esperando fuera
                o dentro del hombre:
                todas las guerras nos mataron a todos,
                nunca quedó sobreviviente alguno.

                De la primera guerra
                a piedra y luego
                a cuchillo y a fuego
                no quedó vivo nadie:
                la muerte quiso repetir su alimento

e inventó nuevos hombres mentirosos
y éstos ahora con su maquinaria
volvieron a morirse y a morirnos.

Caín y Abel cayeron muchas veces
(asesinados un millón de veces)
(un millón de quijadas
y quebrantos)
murieron a revólver y a puñal,
a veneno y a bomba,
fueron envueltos en el mismo crimen
y derramaron toda su sangre cada vez.
Ninguno de ellos podía vivir
porque el asesinado era culpable
de que su hermano fuera el asesino
y el asesino estaba muerto:
aquel primer guerrero
murió también cuando mató a su hermano.

## XVI

LA
SOLEDAD
Rhodo al dejar atrás lo que se llama el pasado
dejó de ser el cómplice del crimen, de un crimen,
de lo que había sido y no sido, de los demás, de todos,
y cuando se vio manchado por sangre
remota o anterior o presente o futura
rompió el tiempo y llegó a su destino,
volvió a ser primer hombre sin alma ensangrentada,
no huyó: era más simple que eso:
estaba otra vez solo el primer hombre
porque esta vez no lo quería nadie:
lo rechazaron las calles oscuras,
los palacios desiertos,

ya no podía entrar en las ciudades
porque se había ido todo el mundo.

Ya nadie, nadie lo necesitaba.

Y no sabía bien si era harina o ceniza
lo que quedaba en las panaderías,
si peces o serpientes
en el mercado después del incendio,
y si los esqueletos olvidados en las zanjas
eran sólo carbón o soldados que ardieron.
El redivivo se comió territorios,
primaveras heridas, provincias calcinadas:
no tuvo miedo, había
salido de sí mismo:
era una criatura
recién creada por la muerte,
era el sonido de una campana rota
que azota el aire como el fuego,
estaba condenado a vivir
fuera del aire oscuro:
y como este hombre no tenía cielo
buscó la enmarañada rosa verde
del territorio secreto:
nadie allí había matado una paloma,
ni una abeja, ni un nardo,
los zorros color de humo bebían con los pájaros
bajo la magnitud virgen del avellano:
el albatros reinaba sobre las aguas duras,
el ave carpintera trabajaba en el frío
y una gran lengua clara que lamía el planeta
bajaba del volcán hacia los ventisqueros.

# XVII

EL
REINO
DESOLADO

Ved el recinto huraño
de Rhodo, el fundador,
la acción, el desvarío
entre follaje y bestias,
el paraíso de agua y soledad
y las estatuas del amor pasado
abandonadas hasta por sus sueños:
hasta que el hombre solo necesitó mujer
y como sombra agazapó su ciencia
de cazador maldito y olvidado.
Ya no podía nacer de su cuerpo
porque en su cielo no mandaba nadie.
Él era su propio cielo verde.
El rey de la espesura
se convirtió en mendigo.
Buscó el amor a tientas en el bosque.

Así pasaron las cosas.

# XVIII

ALGUIEN

Se movía, era un hombre,
el primer hombre.
Se hizo los ojos para defenderse.
Se hizo las manos para defenderse.
Se hizo el cráneo para defenderse.
Luego se hizo las tripas
para conservarse.

Tembló de miedo, solo
entre el sol y la sombra.

Algo cayó como una fruta muerta,
algo corrió en la luz como un reptil.
Le nacieron los pies para escapar,
pero crecieron nuevas amenazas.

Y tuvo tanto miedo que encontró a una mujer
parecida a un erizo, a una castaña.
Era un ser comestible
pero aquel hombre la necesitaba
porque eran los dos únicos,
eran los renacidos de la tierra
y tenían que amarse o destruirse.


## XIX

ROSÍA
LIBERADA
Cuando se desplomó la ciudad de oro
ignorada en la selva, los Césares murieron
bajo el peso metálico de sus propios castillos.

El terremoto destrozó el orgullo,
volvió la selva a devorar
con lianas y raíces el esplendor amarillo,
y como el mar levanta la amargura en la ola
así la tierra alzó su paroxismo
recobrando de nuevo espacio puro.

Allí quedó vacía como un anillo de oro
que cae y rueda desde un dedo muerto
la secreta ciudad que los conquistadores
no alcanzaron: derrotó la codicia
pero cayó tragada por la tierra.

De los escombros áureos salió una luz dorada,
sola sobreviviente, Rosía montesina,

hija imperial de los dinastas muertos,
entendida en los frutos de la selva,
de manos transparentes y de pezones de oro.

Huyó de la ciudad aniquilada,
atravesó las aguas bruscas, quebrantó
la espesa hostilidad de las espinas:
árboles que dormían, peñascos como dientes,
animales hirsutos, fuego blanco de lava,
y anduvo hasta volver a la pureza,
al animal perdido entre las hojas.


## XX

DOS  Los resurrectos, el antiguo varón
y la joven varona centelleante
fueron dos enemigos en la selva,
eran los dos dragones que se acosaban,
en la noche los cuatro ojos fosforescentes
que se temían, y el rencor y el amor
los devoraban sin dejarlos dormir.
Se llamaban a través de millones de hojas,
a través del silencio general de los bosques.
Se llamaban como se llaman las raíces
creciendo en la oscuridad uno hacia otro.

Todo estaba ferviente de espinas que surgían.
El mundo era una copa de terror
y los pies que avanzaban hacia los otros pies
o la boca que abría la noche con un beso
hallaban la dureza compacta de la sombra
y los amantes iban extraviados

sin conocer que se pertenecían:
sin probarse o morderse ni quemarse en
el éxtasis.

Oh pobres dos, oh varón y varona
destinados a ser uno solo, otra vez,
y sin saberlo, bajo la arboleda
y no saberlo, con la Cruz del Sur
recién lavada sobre sus cabezas,
y no saberse hiriéndose en la zarza
del amor enemigo que los encendería.


## XXI

INVIERNO Aquel invierno de color de hierro
EN EL SUR cayó sin tregua sobre el sol antártico
apagando hasta el último latido de la luz:
piedra y follaje se vistieron de nieve,
bestias hurañas taladraban
la oscuridad con golpes subterráneos
y caía la lluvia de alas negras
sobre el techo de Rhodo y de Rosía.

Los ríos se vistieron de vestigios, maderas,
raíces calcinadas, caballos derramados,
nidos de inmensos pájaros que transportaba el río
como si los llevara a otro planeta.

La tempestad no tenía medallas:
era un cielo sin fin y sin relámpagos,
no transcurría, parecía un muro
sosegado en la furia, desplegado
como el metal de un abanico atroz
sobre un tambor golpeado por el viento.

El Edén recobrado se estremecía de llanto,
se adelgazaba como delirio de violín,
amenazaba como los dientes de la selva,
con los ojos salvajes del agua regional,
y los dos destinados a repoblar el reino
se abrazaron, inmóviles bajo el terror del mundo.


## XXII

EL AMOR  Nadie conoce como los dos solos,
los destinados, los penúltimos, los que se hallaron
sin otro parecido que ellos mismos,
nadie puede pensar, lejos de los orígenes,
que una mujer y un hombre reconstruyan la tierra.

Y la pareja en plena soledad, agredida
por odio y tempestades de la naturaleza
sufrió y siguió bajo el follaje negro
buscando la infinita claridad exterior
hasta que sólo en sí mismos y en su fuego,
cuerpo a cuerpo, y a golpes de brazos y de besos
fueron hallando un túnel largo como la vida
que los unió, sellándolos, en un solo camino,
alarmados, heridos, espiados por el bosque
que con ojos malignos acechaba
hasta seguir cayendo en la alegría
con el peso total de la tierra en sus huesos.

El temor, el amor, el dolor los golpeaban
y de un incendio a otro despertaron
para andar sin saber hasta perderse.

## XXIII

LOS
CONSTRUCTORES

Rhodo, el refundador, sobreviviente,
y Rosía, la rosa de la tierra perdida,
no imaginaron sus deberes sobrehumanos:
persistir y crear el reino limpio,
paso a paso, cavando, sin pasado,
construyendo de nuevo el esplendor
sin sangre ni ceniza.
Pero el Edén amargo
de las montañas, la loca latitud de los ríos,
la amenaza nevada de los siete volcanes,
el espacio que abría la boca una vez más,
tragándolos, llevándolos entre espina y
     espina
como en una oceánica guerra sin
     regimientos,
sin más tambor que el trueno, y adelante
y atrás, arriba, abajo,
aquel reino erizado que continuaba hacia
     el Polo,
y ellos solos, los dos, palpitando, perdidos
sobre la inmensidad de su soberanía.

## XXIV

LA
VIRGEN

Ella le dijo: Fui piedra de oro
de la ciudad de oro, fui madera
de la virginidad y fui rocío.
Fui la más escondida de la ciudad secreta,
fui la zorra selvática o la liebre relámpago.

Aquí estoy más inmóvil que el muro de metal
sostenida por una enredadera o amor,
levantada, arrastrada, combatida
por la ola que crece desde tus manos de hombre.

Cuando hacías el mundo me llamaste
a ser mujer, y acudí
con los nuevos sentidos que entonces me nacieron.

Yo no sabía que tenía sangre.

Y fui mujer desde que me tocaste
y me hiciste crecer como si tú me hubieras
hecho nacer, porque de dónde
sino de ti salieron mis pestañas,
nacidas de tus ojos, y mis senos
de tus manos hambrientas, y mi cuerpo
que por primera vez se encendió hasta incendiarme?
Y mi voz no venía de tu boca?

No era yo el agua de tu propio silencio
que se iba llenando de hojas muertas del bosque?

No era yo ese fragmento de corteza que cae
del árbol y que pierde, condenado
a una unidad perdida, su solitario aroma?

O Rhodo, abrázame hasta consumirme,
bajo el follaje de los bosques oscuros!

Es tu amor como un trueno subterráneo
y ya no sé si comenzamos el mundo
o si vivimos el final del tiempo.

Bésame hasta el dolor y hasta morirme.

## XXV

EL GRAN Es la época de la nieve sola en la estepa,
INVIERNO del silbido corpóreo contra el volcán austral
cuando el viento abocina su garganta
y hoja por hoja llora la lluvia en los raulíes.

Cercado está el amor sin puertas ni paredes,
la noche hostil, la soledad fragante,
las ramas enemigas de la selva,
la pradera de sueño blanco y cruel
y más arriba como el dios de la dureza
el volcán comenzó a mostrar su sangre.

Nieve, sangre sombría, fuego descabellado
rodearon el recinto de los últimos
y la que huyó de un reino destruido
y el que salió a fundar un dominio orgulloso
de pronto se quedaron solos con el amor.

Y fueron oprimidos por su dicha terrible.

## XXVI

LOS Porque el espacio los atropelló
DESTRUCTORES hasta enterrarlos en un solo ser,
en la unidad del fuego perseguido,
y nunca tuvo tanta soledad el amor
como si en vez de hacer de nuevo el mundo
hombre y mujer allí se destinaron
a devorarse como dos águilas hambrientas.

Porque de tanta amarga geografía,
reino, extensión, descubrimiento, fatiga,
como una maldición de la naturaleza
se convirtieron en dioses desamparados,
vencidos por la furia del relámpago,
aniquilados por el amor hostil.


## XXVII

LA CADENA No hablaban sino para desearse en un grito,
no andaban sino para acercarse y caer,
no tocaban sino la piel de cada uno,
no mordían sino sus mutuas bocas,
no miraban sino sus propios ojos,
no quemaban carbón sino sus venas,
y mientras tanto el reino despiadado temblaba,
crecía la crueldad del viento patagónico,
rodaban las manzanas crueles del ventisquero.

No había nada para los amantes.
Estaban presos de su paroxismo
y estaban presos en su propio Edén.

De cada paso hacia la soledad
habían regresado con cadenas.

Todos los frutos eran prohibidos
y ellos lo habían devorado todo,
hasta las flores de su propia sangre.

# XXVIII

RHODO  Él le dijo: He caído
HABLA  en tu insondable transparencia. Veo
       alrededor de mí, como en el agua,
       debajo de un cristal, otro cristal.

       Y me ahogo en un pozo cristalino.

       Por qué has venido y de dónde has venido?
       No puedes ahora volver a la ceniza
       de la ciudad de oro? Adónde voy sin ti
       y adónde voy si se termina el mundo?

       Si tu reposo no me da reposo
       qué haré yo con el fuego de Dios?

       Si no saldrán mis hijos de tu cintura clara
       qué dicha otorgaremos a la tierra?

       Yo, Rhodo, destruí el camino
       para no regresar. Busqué y amé
       la paz deshabitada y la llené
       de castillos, de amor imaginario,
       hasta que tú, Eva de carne y hueso,
       Rosía terrenal, rosa nutricia,
       desnuda, incierta, sola, apareciste
       y sin llamarte, entró tu escondida hermosura
       en mi cama salvaje.
                          Yo reniego
       de ti, vuelve a tu ciudad muerta,
       regresa a tu quemado poderío!

       Y continuó Rhodo: No separes
       tu cuerpo del mío, ni un minuto.

Vive entre mis dos ojos, cabalga
mi nariz, deja que duerma
tu pelo entre mis piernas, deja enredados
tus dedos para siempre en mi deseo,
y que tu vientre ondule bajo el mío
hasta que el fuego de la sangre baje
hasta tus pies, encadenada mía.


## XXIX

HABLA   Ella, Rosía, suave y salvaje, dice
ROSÍA   dirigiéndose a Rhodo, sin palabras:

Nací de tu estallido.
De un relámpago tuyo vine al mundo.
Mi cabellera era la noche,
la confusión, la soledad, la selva
que no me pertenece. Oh varón mío,
ancha es tu sombra y es tu sol penetrante
el que me reveló desde los pies
hasta mi frente, la pequeña luna
que te aguardaba, amor, descubridor de mi alma.

No eres tú gran espejo, Rhodo, en que yo me miro
y por primera vez yo sé quién soy?
No una rama de espinas peligrosas
ni una gota de sangre levantada en la espina,
sino un árbol entero con frutos descubiertos.

Cuando tú, primer hombre, descansaste una mano
sobre mi vientre, y cuando
tus labios conocieron mis pezones
dejé de ser la gota de sangre abandonada,

o la rama espinosa caída en el camino:
se levantó el follaje de mi cuerpo
y recorrió la música mi sangre.


## XXX


SIGUE      Y continuó Rosía: Me vi clara,
HABLANDO   me vi verde, en el agua del espejo
ROSÍA      y supe que era ancha como la tierra para
           recibirte, varón, terrestre mío.
           Como un espejo tú reflejabas la tierra
           con la extensión de tantos terrenos y dolores
           que no me fatigué de mirarme en tus ojos
           y viajé por tus grandes venas navegatorias.

           Oh extenso amor, te traje la fragancia
           de una ciudad quemada, y la dulzura
           de la sobreviviente, de la que no encontró
           a nadie en la espesura de un mundo clausurado
           y errante anduvo, sola con mi herencia
           de pesada pureza, de sagrada ceniza.

           Quién me diría que se terminaba
           el mundo y comenzaba con nosotros
           otra vez el castigo del amor, el racimo
           de la ira derribado por el conocimiento?


## XXXI


HABLA      Dice Rhodo: «Tal vez somos dos árboles
RHODO      encastillados a golpes de viento,

fortificados por la soledad.
Tal vez aquí debimos
crecer hacia la tierra,
sumergir el amor en el agua escondida,
buscar la última profundidad
hasta enterrarnos en mi beso oscuro.
Y que nos condujeran las raíces».

Pero esto fue para comienzo o fin?

Yo sé, amor mío, que tu eternidad
es mía, que hasta aquí alcanzamos
medidos, perseguidos y triunfantes,
pero se trata de nacer o morir?

Dónde puede llevarnos el amor
si esta gran soledad nos acechaba
para escondernos y para revelarnos?

Cuando ya nos fundimos y pasamos
a través del espejo
a lo más ancho del placer pasmoso,
cuando tú y yo debimos renunciar
a los reinos perdidos que nos amamantaron,
cuando ya descubrimos
que nos pertenecía esta aspereza
y que ya nos tenía destinados
la tierra, el agua, el cielo, el fuego,
y tú, la sola, la maldita mía,
la hija del oro muerto de la selva,
y yo, tu fundador desengañado,
yo el pobre diablo que imitaba a Dios,
cuando nos encontramos encendidos
por la centella amarga que nos quema,
fue para consumirnos,
para inventar de nuevo la muerte?

O somos inmortales
seres equivocados, dioses nuevos
que sobrevivirán desde la miel?

Nadie nos puede oír desde la tierra.

Todos se fueron, y esto era la dicha.

Ahora, qué haremos para reunir
la colmena, el ganado, la humanidad perdida,
y desde nuestra pobre pureza compartir
otro pan, otro fuego sin llanto,
con otros seres parecidos a nosotros,
los acosados, los desiertos, los fugitivos?

A quién desde hoy daremos nuestro sueño?
A dónde iremos a encontrarnos en otros?
Vinimos a vivir o a perecer?

De nuestro amor herido
debe soltar la vida un fulgor de fruto
o bajar a la muerte desde nuestras raíces?


## XXXII


EL Rosía, cierra tus ojos pasajeros:
ENLUTADO fatigada, resuelve la luz y enciende el vino:
   duérmete y deja caer las hojas de tus sueños,
   cierra tu boca y déjame que bese tu silencio.

   Nunca amé sino sombras que transformé en estatuas
   y no sabía yo que no vivía.
   Mi orgullo me iba transformando en piedra,

hasta que tú, Rosía, despertando
desnuda, despertaste mi sangre y mis deberes.

Dejé la monarquía de luto en las montañas
y comprendí que volvía a sufrir.
Si bien tu amor me volvió al sufrimiento
abrió la puerta de la dicha pura
para que nos halláramos caídos
en el jardín más áspero y salvaje.


## XXXIII


LA ESPADA   Cuando nació el volcán no sabía
SE PREPARA   que se llamaba Muerte.
            Iba creciendo con algunos truenos
            y volaba la nieve
            en su cabeza
            como muchas palomas que murieran.

            Allí creció y creció
            más alto, más, más alto,
            y tuvo un cuerpo azul
            como un embudo
            y ahora, soberano,
            una corona,
            diadema o rosa de agua.

            Adentro tierra ciega,
            tiempo ferruginoso
            trabajaron
            preparando la sílice,
            el azufre, la furia:
            todo era pedernal, vísceras vivas,

latido celular, garras de fuego,
todo dormía en la amenaza
de la pavorosa herrería.

Se establecieron las olas de lava,
los estatutos de clavos ardientes:
de piedra a piedra se hizo la milicia
del volcán negro que subía al cielo,
del volcán blanco que descendería,
del volcán rojo, señor de la Tierra.


# XXXIV


EL
LLANTO
Por qué los ojos de Rosía se mojaron
entonces, como si vieran a través de la lluvia?

Por qué como dos piedras en el agua
velaron el fulgor de su alegría?

De dónde aparecía aquel tormento?

Era opresión el peso de la tristeza invisible?

Era ronco el lamento que escuchaba Rosía.

Adentro de su propio ser secreto
escuchó un crecimiento de campanas:
sonaba el agua en su profundidad.

Palpitaban los ojos de Rosía
como dos graves aves prisioneras,
como dos gotas de enlutada luz.

# XXXV

EL DOLOR  Hacia el mar, hacia el mar! dijo el creciente.
Hacia la ola! dijo la que no conocía
el mar, la desterrada de los Césares.

Ella creía en una catarata de sal,
en un árbol extenso, de hojas horizontales,
en un abismo de viviente azul.
Rhodo, el errante, conoció su cita.
La hora de la tierra terminada.
Se había desprendido el fruto negro
del árbol de la sed, de la agonía:
ya no podía construir cantando.

Por qué llegó la destinada a él?

Por qué su fuerza que destinó al dolor
se encontró en el amor con la desdicha?

Él no quería comenzar el mundo.

Llevaba sólo siglos a la espalda
y si evadió el desastre de las razas
caídas y quemadas, si resistió la noche
y la errante dureza del desierto,
cuando recibió el cuerpo de Rosía
volvió a encontrar la soledad.
                              El hombre
había dispuesto su destino
y un Dios intruso repetía el dolor.

Había predispuesto su linaje
de sol sombrío y luna hereditaria:
él solo para no volver al hombre:
él, el pobre inmortal con todo el mundo a cuestas.

Pero de la ciudadela perdida,
del acontecimiento abandonado
en medio de la selva, áurea virtud,
Rosía, claridad sobreviviente,
llegó al reducto y despertó al dormido.


# XXXVI

EL ESPACIO   Pero la selva antártica dormía
con la fría pereza de los pies de la tierra:
las cabezas coníferas no se decían nada
en lo alto del follaje reunido
y enredado en un nudo de puñales
que cortaban el vasto cielo inmóvil
hecho de azul, de acero, de volcanes hostiles.
Aquel invierno edénico
caía gota a gota,
frío a frío.

Caía el trueno sobre los amantes
como un castigo celeste.
Quién es? se preguntaban
y entraba entre las piedras un relámpago.

Oscura era la mano de Dios,
duros eran sus dedos,
y no había crepúsculo
sino el parto perdido
de aquella aurora que no llegaba nunca,
del puma que nacía,
del terror envuelto en la niebla
entre las agujas del cielo.

# XXXVII

VOLCÁN  El volcán perforaba el peso
de la montaña, acumulaba
su cólera ferruginosa,
hería, hería las paredes,
hacía un río vertical.
Abajo, más abajo, el fuego
trabajaba como una abeja
hasta encenderse y elevarse:

piedra y azufre, estrella y barro,
antracita y pólvora, cobre
se desentrañaban y ardían,
pero hacia más abajo aún
buscaba el mortero metales,
cavaba sombras y lingotes,
acumulaba la dureza.

Nadie podía oír aún
el estertor del subterráneo:
ni una burbuja de la nieve
traicionaba aquella amenaza
y sin embargo aún, aún
abajo, abajo se amasaban
el incendio con la agonía:
la panadería del fuego.

# XXXVIII

LA  Rosía era nacarada y dorada
SILVESTRE  a la luz del ramaje

y así se vio de pronto
disminuida, hierba o rana,
insecta verde, rosa fea
en las manos de Rhodo.
                    Quién soy,
se dijo, y por qué me perdí,
y en este laberinto de raíz y ramaje
yo no soy ni la fruta del esplendor, ni el canto
del tembloroso río cuando amanece el viento!

Oh dolor, que la última en la tierra
sea yo con mi rostro de primavera inmóvil
y no la torrencial fosforescente,
la belleza que Rhodo debía recibir
en su reino, en el Edén final.

Yo viví cosechando manzanas amarillas,
montando los caballos patagónicos
y no hay jazmín ni aurora en mis mejillas:
el viento Sur me separó con su espada,
la nieve quebrantó mi cabellera,
la lluvia era mi mejor vestido
y si crecí desnuda en la intemperie
fue mi raza secreta la que educó mi piel,
la que formó mis manos metálicas y agrestes.

Oh amor, no pude ser tierna como la leche,
sino erizada como la castaña polar.

Pero cuando tú llegas sube en mí una fragancia
de bosque verde, y me convierto en rosa.

# XXXIX

VOLCÁN  Mientras tanto el volcán buscaba hierro:
desmantelaba el fondo de la tierra, agredía
el granito, liquidaba la sal:
se hundía, hundía en el subsuelo abierto
hasta caer y llegar y recoger
el ígneo pez o el tigre del incendio.


# XL

LA FLOR  Rhodo cortó una flor y la dejó en su lecho.
AZUL  Era una flor de linaje violeta,
semiazul, entreabierta como un ojo
de la profundidad, del mar distante.

Dejó Rhodo esa flor bajo Rosía
y ella durmió sobre la flor azul.

Toda esa noche soñó con el mar.

Una ola redonda se la llevó en el sueño
hasta una roca de color azul.

Allí esperaba ella por años y por siglos
entre la espuma repetida y el
cabeceo de los cachalotes.
                            Sola
está Rosía hasta que luego
el cielo descendió de su estatura
y la cubrió con una nube azul.

Al despertar del sueño bajo sus ancas claras
y entre sus piernas una flor caliente:
todo su cuerpo era una luz azul.


## XLI


LA        Oh amada, oh claridad bajo mi cuerpo,
CLARIDAD  oh suave tú, de la aspereza desprendida,
          eres toda la noche con su acción constelada
          y el peso de la luz que la atraviesa.

          Eres la paz del trigo que se prepara a ser.

          Oh amada mía, acógeme y recógeme ahora
          en esta última isla nupcial que se estremece
          como nosotros con el latido de la tierra.

          Oh amada de cintura parecida a la música,
          de pechos agrandados en el Edén glacial,
          de pies que caminaron sobre las cordilleras,
          oh Eva Rosía, el reino no esperaba
          sino el frío estallido de la tormenta, el vuelo
          de tórtolas salvajes, y eras tú que venías,
          soberana perdida, fugitiva del cielo.


## XLII


VOLCÁN  Las montañas ignívomas
        callan allí, allá lejos.

Excavan,
crujen,
parten. Desde el cráter
levantan
hacia el cielo
una copa terrible
de azufre y cicatrices,
de selenio y sienita:
hendiduras por donde
caerá lava negra
y feldespato,
arterias
granulares
de la escoria,
trabajando
en el barro
hasta ser trueno,
columna de ceniza,
larga cola de cielo.

Ardiendo allí como en la jaula
el tigre negro
que yo vi en Birmania,
allí junto a la cama de Rosía y de Rhodo
junto al sueño mojado
por la infinita tempestad, el humo
quería nacimiento,
se unía la caliza con el vapor naciente,
respiraba el volcán,
rondaba con sus garras
bajo tierra,
con ojos amarillos.

# XLIII

LA CULPA　Algo había en el fruto
　　　　　o en el conocimiento,
　　　　　un síntoma, un gusano
　　　　　que roía.

Rhodo y Rosía se cubrieron
de pardas pieles, buscaron el río,
y trabajaron una barca fresca,
dura como él y curva como ella:
la madera era suave
bajo los dedos: pura
fue la nave,
alerce y ulmo, con hacha de piedra
elevada y tendida.

Era la proa como nueva luna,
el cuerpo como un pez del Río Roto,
y los dos últimos novios del mundo,
Adán antiguo y Eva errante,
Rhodo y Rosía, durmieron en ella
el casto sueño después del amor.

Ella sobre el oscuro brazo derecho suyo,
él con su mano izquierda entre sus senos,
y el sueño aquél fue el viaje
de aquella nueva nave sobre el agua,
sobre las aguas que se repetían
desde los ventisqueros abundantes
hasta el océano que no espera a nadie.

Pero ellos no sabían
porque ellos acababan de nacer.

# XLIV

LA ESPERANZA   Rhodo olvidó el pasado,
               las abejas, las ruedas
               de la guerra, la miel,
               la sangre, el luto
               de las uvas.

               El hombre rompió el tiempo.

               Había muerto el mundo.

               Estaba solo.

               Solo con el fulgor
               de un nuevo día hirviente y espacioso:

               huyó de todos los muertos
               y supo que no sólo la sola soledad
               era el destino:

               tenía que defender dos cuerpos suyos
               y continuar la vida de la tierra.

# XLV

VOLCÁN   Era siempre de noche
         y madriguera:
         llovía
         con las gotas del diluvio,
         con las campanas del cielo:
         los setecientos lagos

se encrespaban
silbando, y tomó el mundo
olor a humo mojado,
a pubis verde,
a leña.

Dónde se habían ido
el sol con su marea,
la luna con su sueño,
el mar con su herrería?

Iba creciendo un número
adentro de la tierra:
como un germen terrible
se iba agregando la piedra al silencio,
la amenaza al follaje.

Crecía cien a mil,
sulfuro, cieno,
cien mil multiplicaba
la fogata secreta,
algo se machacaba
multiplicando el fuego.

## XLVI

LA SELVA  Rosía despertó sola: un rumor
mineral, devorante,
la cercaba. Agua y música
caían con las hojas
del día sacudido:
la hija selvática corrió con pies rosados
desde el amanecer ferruginoso.

Qué aroma, qué rumor,
qué número cantaba,
qué puerta iba a nacer
o a crepitar?

Como una llama
Rosía,
era la única claridad corriendo.

Daba luz como un pájaro encendido.


## XLVII

LA NAVE Rhodo alisaba el mástil,
afilaba la proa.

Tocarás el océano, Rosía,
el único camino que palpita,
la libertad marina del peligro.

Sí,
hacia el mar
rodaría el destino,
el mar desnudo,
sin bien, sin ojos, sin pecado,
sin juez, sin mal, sin fin,
el mar.

## XLVIII

VOLCÁN El volcán recogía
cada estrella
de abajo,
la golpeaba hasta darle
corazón de puñal, puño de muerte.
Amasaba los ríos
de la lava,
escudriñaba incendios,
acechaba sulfatos,
temblaba:
la hoguera arrolladora
era sólo semilla,
la semilla enlutada
del sol, del sol sangriento.
Cavaba,
recavaba,
aun sin fuego ardía
y sin boca tronaba:
era una olla que hervía
sin agua, sin vapor:
era el rayo enterrado
en el útero amargo
de la tierra.

## XLIX

HABLA Rhodo dijo: Quiero tu cabellera para sembrarla en
EL     el mar.
ADÁNICO Tu cabellera es la proa de mi nave.

Quiero tu boca para soltarla en el viento.
Quiero que me abracen tus brazos:
son dos enredaderas.

Quiero tus senos blancos en el cielo
como dos lunas llenas de rocío.

Quiero tu vientre recostado en Dios.

Quiero tu sexo, tu raíz marina.

Quiero tus piernas para dos nubes nuevas
y tus caderas para dos guitarras.

Y quiero los diez dedos de tus pies
para comerme uno cada día.


## L


VOLCÁN    Era un agudo monte
y en la punta
se detenía una constelación,
una diadema de impalpable harina,
nube tal vez, coronación del orbe,
pasión, paloma, luna.

Encima del volcán
una presencia
siempre.

Temblaba allá una estrella,
la más alta del cielo,
o un fantasma caído

de la sombra polar, la vestidura
del corazón antártico,
la rama congelada de la aurora,
la noche que cambiaba de vestido,
o simplemente una rueda,
una raya, una línea,
un asterisco,
un diamante,
o de pronto un combate
de relámpagos negros,
de profecías,
de confusión azul y acero.

Oh montañas de América
sin nombre,
pobladas de rencor,
de minerales,
de lava subterránea!

Oh silencio que espera
derramarse,
extenderse
hacia la destrucción
y el nacimiento!

## LI

EL MAR Dice Rosía sin mover los labios
desde su inmóvil desconocimiento:

El mar que no conozco soy yo misma,
tal vez, mi ser remoto
revelado en los brazos de mi amado,

bajo su cuerpo, cuando
siento que desde mi profundidad
suben de mí las olas poderosas
como si yo fuera dueña del mar,
del mar que no conozco y soy yo misma.

Esta frecuencia ciega,
esta repetición del paroxismo
que va a matarme y que me da la vida,
la ondulación que estalla
y vuelve y surge y crece
hasta que se derriba la luz
y caigo en el vacío,
en el océano:

soy dueña de las olas que reparto
y empujo desde mi pequeño abismo.


## LII

ANIMALES  Los saurios verdes escondidos
en la verdura, los leones
de dos cabezas, las tribelias
nacidas en los lodazales
cruzaban silbando la víspera
o remontaban al origen:
a la cueva de las estirpes.

Ahí llegan los polytálamos
congregados desde la arcilla
a la edificación coral,
pero el salamandro enlutado
del ventisquero, hijo del frío,

palpitó con su terciopelo
desapareciendo en el bosque.

El astrolante alzó su vuelo
de plumas que tintineaban
y se divisó el resplandor
de una tijera anaranjada
junto a su vuelo de metal.
Las esporas desenroscaban
leñosos y tiernos anillos
que abrían los dedos gigantes
de los helechos de Volcania.

Se fragua el pórfido, el insecto
trepa y extiende alas recientes,
la larva rompe una estructura,
se desarrolla el animal.
Las plantas se tragan la luz,
la humedad se aproxima al fuego,
se amalgaman los minerales,
aparece el sol escarlata,
saca el ciervo su monarquía
a relucir entre las hojas
y un susurro de crecimiento
llena de música la tierra.


## LIII

LA
FUGITIVA  Rhodo y Rosía: he aquí los dos hallados,
los dos perdidos, los presentes.

Por qué? Ya no era el vencedor o el vencido,
sino el descubridor que en la aspereza,

en la extensión, en el final del límite,
en el Polo inclinado por el viento,
halló otra vez una mano minúscula,
un cuerpo breve arañado de espinas,
una mujer externa que salía
tal vez y una vez más de su cuerpo o su sueño.

Venía o no venía de la ciudad cesárea
entrelazada por el origen del mundo
o por la tierna fábula o la historia?

Quién era, oruga o flor, mariposa o camelia?

Y él mismo, el solitario fundador,
debía renunciar al territorio,
debía matar él su soledad,
su construcción final, su reino amargo?


## LIV

DOS   Y ella, la leñadora,
llama insurgente del incendio, lámpara
apenas encendida en las tinieblas,
ella, la transitoria, la mujer,
debía persistir o perecer?

Rosía, la que nunca vio el mar,
la virgen escapada de la ciudadela,
nació o sobrevivió para este hombre enlutado
cubierto de raíces y recuerdos?
           Adán
de las desdichadas guerras del hombre,
de las naciones convertidas en polvo,

de las ciudades hechas cicatrices,
Rhodo, el héroe de la última fuga
que encontró otro planeta en su planeta,
era el comienzo de su estirpe o el fin?

Por qué sobrevivían? Dónde estaba
la libertad? Era esta soledad
de témpanos poblados de campanas que crujen
rompiendo el infinito pecho del ventisquero,
era el espacio abierto, enmarañado, hostil,
su Edén, la eternidad de su recinto?
O bien hacia el océano,
hacia la luz extensa, labradora,
ella, Rosía, la recién llegada,
debía dirigir sus pies silvestres?

## LV

LA Rhodo en el bosque, donde estaba
MUERTE él, el bosque era la ausencia.
Y LA Ella tal vez detrás de los helechos,
VIDA ella tal vez encerrada en sí misma,
ella dentro de él, sellada en él,
cortada en piedra pura!

Por qué llegaron y de dónde llegaron
a vivir el amor agonizante?

Y quién era ella y para qué venía
si el hombre sin destino la esperaba?

Si aquella hija de la tempestad
pertenecía a un mundo destruido?

Y cuál era la culpa del dolor
y por qué unidos los dos desterrados
eran llevados de nuevo al deseo
y eran precipitados al castigo?

Se esperaba de ellos el racimo
de hijos que continuaran al hombre y a sus guerras?
Los herederos de las uvas amargas?


## LVI

EL EXTRAVÍO   Oh amada mía, acércate y aléjate.
Ven a besarme, ven a separarme.

Ven a quemarme y dividirme.
Ven a no continuarme, a mi extravío.

Ven, oh amor, a no amarme, a destruirme,
para que encadenemos la desdicha
con la felicidad exterminada.


## LVII

VOLCÁN   Las grandes bestias del bosque,
los pumas, los guanacos,
los pájaros reunidos,
las culebras,
las ranas, las cantáridas,
las lombrices, las avispas
amaranto,

las hormigas, los zorros,
los lagartos,
sintieron
que crecía
el humo
bajo la tierra,
supieron
antes que el hombre o la mujer,
supieron
antes que el viento lo supiera:
algo
crecía
bajo
sus alas y sus pies, sus cuerpos lisos,
sus vientres, sus plumajes, sus escamas:
aroma,
olor magnético,
rosa explosiva,
magnitud enterrada:
algo
vibraba, renacía
en la espesura,
en la paciencia silvestre.

Carbón, sílice roja,
minería,
azufre o luz calcárea,
trabajaban
y la miel
se lo dijo a la abeja,
lo repitió la abeja
en el follaje
del ulmo, y el follaje
lo contó a las raíces,
y éstas al agua,
el agua, al vaporoso

nimbo del ventisquero,
el ventisquero al hielo,
éste al rocío,
el rocío a la hierba
y la hierba, la voz breve del mundo,
se lo dijo a los pies de la mujer Rosía
y los pies de Rosía levantaron
la campanada oscura que subió
al corazón de la mujer Rosía
llenándolo de miedo:
era el tañido de la oscuridad,
del subterráneo que quería arder,
de las tinieblas que la perseguían.


## LVIII

EL MIEDO  Dijo al hallar a Rhodo: Tengo miedo.
Te amo con todo el miedo subterráneo,
con la maldad del castigo.
Tengo miedo
de la amapola
que quiere morder,
del rayo que prepara su serpiente
en el árbol secreto del volcán:
tengo miedo de su luz espantosa,
del día puro convertido en ceniza.

Dónde vamos?
Y para qué vinimos?

Anoche, Rhodo, me dejaste sola.
No me bastaba el recuerdo,
no sólo era la ausencia

de tu abrazo:
necesitaba el beso de tu cuerpo
sobre mi cuerpo. En las tinieblas
todo se despedía
de mi sueño.

Era la selva que lloraba,
eran los animales del presagio,
y tú, mi amor, mi amante,
dónde
dormías
bajo la amenaza,
bajo la luna sangrienta?


# LIX

LA NAVE  Rhodo levanta una mano invisible.

«La nave me llamó,
la nave tiene miedo:
me dijo: al agua pura,
a la sal repetida,
a la tormenta,
vamos!

Pero si cae sobre mí la mano
del volcán vengativo,
el viaje será un rito de pavesas,
de chispas que arderán y caerán
en las manos del fuego.»

Eso me dijo la nave.

Dormí toda la noche
entre la nave y las estrellas frías,
esperando,
hasta que un gran silencio me devolvió a tu vida,
a la morada,
y sin partir aguardo
la decisión del fuego.


## LX


VOLCÁN No hay día, luz, no hay nada. Sólo
el silencio existe,
la espera verde.

La selva retiró su lenguaje y huyeron
los sonidos a la espesura.
No hay asombro como éste.
La desesperación de la esperanza.

Quién?
Llegará quién?
El humo?
Por qué se esconde el negro escarabajo
en una gota de luna?

Por qué hasta el cuarzo tiembla
sin agregar la luz en que trabaja
a su mirada transparente?

Por qué se aleja el paso
del roedor, y las bandadas
de las bandurrias con sus pies metálicos
golpean la puerta del cielo?

# LXI

LA FUGA   Los dos amantes interrogaban la tierra:
ella con ojos que heredó del ciervo:
él con los pies que gastó en los caminos.

Iban de un lado a otro de los bosques,
buscaban la frontera del peligro,
acechaban de noche cada estrella
para leer las letras del latido
y al viento preguntaban por el humo.

Fue musgosa y errante aquella vida
de los desnudos y rápido
era el encuentro del amor:
recorrían distancias como países o nubes
sólo para yacer, enlazarse, partir,
y quedarse enredados en la nueva distancia,
en el peligro de aquella boca blanca
que con toda la nieve de la altura
quería hablar con la lengua del fuego.

# LXII

ÁGUILA   El vuelo del águila azul es transparente.
AZUL

Hombres! Os congregaré sólo para el milagro.

Vive sobre la luz esta presencia:
dos alas como dos balas, dos espolones, dos flechas
que ascendieron llevando sangre y polen
es el águila lineal de aquella latitud.
Sube su torbellino, rompe el alma celeste,

devora el hilo insigne de la altura
y lo que fuera mancha o meteoro
o resplandor directo de la velocidad
se queda fijo, rígido en el aire,
y sus plumas azules se integraron
y se restituyeron al azul.

Así desaparece en plena luz
el ave pura, centro del anillo,
ojo del universo, pez del cielo,
que continúa desde las raíces
la exhalación, la dirección, la vida.

Vertical es su acción, su alma es violenta
hasta ser equilibrio transparente.

## LXIII

VOLCÁN   El volcán es un árbol hacia abajo.
Encima están sus raíces de nieve.

Pero abajo construye su follaje,
hoja por hoja, azufre por azufre:
mineral machacado hasta ser flor,
pétalo a pétalo de profundo fuego,
y cada rama hundida
en la dureza
excava para que florezca el fuego.

Crece y crece hacia abajo
el árbol vivo que arde,
derritiendo, agregando,
amalgamando
la espada del castigo.

# LXIV

SONATA  Rosía, te amo, enmarañada mía,
araña forestal, luna del bosque,
solitaria nacida del desastre,
durazna blanca entre los aguijones.

Te amo desde el origen del amor
hasta el final del mundo, hasta morir,
te amo en la ocupación de mis deberes,
te amo en la soledad que deja el día
cuando abandona su vestido de oro,
y no sé si encontrarte fue la vida
cuando yo estaba solo con el viento,
con los peñascos, solo en las montañas
y en las praderas, o si tú llegabas
para la certidumbre de la muerte.

Porque el amor original, tus manos
venían de un incendio a conmoverme,
de una ciudad perdida y para siempre
deshabitada ahora, sin tus besos.
Oh flor amada de la Patagonia,
doncella de la sombra, llave clara
de la oscura región, rosa del agua,
claridad de la rosa, novia mía.

Pregunto, si mi reino ha terminado
en ti, qué haremos para renunciar
y para comenzar, para existir,
si el plazo de los días se acercara
a nuestro amor dejándonos desnudos,
sin nadie más, eternamente solos
en la felicidad o en la desdicha?

Pero me bastas tú, como una copa
de agua del bosque destinada a mí:
acércate a mi boca, transparente,
quiero beber la luz que te ilumina,
detenerme en tus ojos, y quedarme
muerto en el luto de tu cabellera.

## LXV

VOLCÁN Lágrimas de hierro tuvieron
los negros ojos del volcán,
garras rojas se le soltaban,
largos latidos arteriales,
dientes de máquina malvada:
era ardiente su alevosía.

Se preparaba en el dolor
la ira del parto planetario,
en los ovarios de la furia
el trueno quería estallar:
la lava hervía en su sopera,
rugían los tigres de piedra,
ardía el subterráneo azul,
y por una grieta invisible
salió un alambre de humo duro
como si quisiera amarrar
la incertidumbre con el miedo:
entonces trepidó la tierra
anticipando el estertor
de la oscuridad que revienta
en forma de fuego y de luz.

# LXVI

<small>LOS UNOS</small> Al mar! dice Rosía,
al mar que no conozco,
a sumergir la llave de mi amor,
a buscarla otra vez bajo las olas!

Hoy no te acerques, hombre,
a mi costado!
Hoy déjame en la oscuridad
buscándome a mí misma.

Por qué me amaste, Rhodo?

Porque era yo la única,
la que salía de mi soledad
hacia tu soledad?

Quién designó el designio?
Quién me salvó de la ciudad destruida?

Quién me ordenó en las tinieblas
andar, andar, romperme ojos y pies,
atravesar el callado latido
de la naturaleza,
piedra y espina, dientes y sigilo,
hasta llegar a ti, mi desterrado?

Yo fui la última mujer: cayeron
los muros sobre mis muertos
y así formamos la última pareja
hasta que entré en tu abrazo,
en tu medida desmedida,
y tal vez somos los primeros,
los dos primeros seres,
los dos primeros dioses.

# LXVII

VOLCÁN  Los desnudos del frío,
la nieta de los Césares,
campesina,
el aterrado
que huía de la tierra y de la guerra,
el fundador de un imposible reino,
vieron la sacudida
del planeta.
Como sólo una hoja
tembló el mundo:
un trueno
sepultado:
un clamor
sordo:
un tambor
de la tierra:
un ancho ruido
que llega desde abajo,
desde dónde?
Un sonido
circular, un anuncio
de inmensa boca amarga
o de campana muerta,
entonces
se iluminó la copa
del volcán
con llama, resplandor
o vino férreo,
y primero una lágrima
de lava
cayó como sufriendo
desde la torre del volcán desnudo.

## LXVIII

LA SOMBRA Es el ancho camino de la luz,
de la blancura, de la nueva nieve,
o se trata del síntoma
del odio?

Tal vez era la hora del expulso?

La vida, un jardín perdido,
la muerte, al fin, entre los otros muertos,
la hora llegada para ser mortales?

Era la hora
anaranjada
de la calcinación y del castigo?

Era la hora sin jardín,
sin selva,
sin regreso?

## LXIX

LA Oh amor, pensó el acongojado
HISTORIA que por primera vez sobre la lengua
sintió el sabor de la muerte,
oh amor, manzana del conocimiento,
miel desdichada, flor de la agonía,
por qué debo morir si ahora nací,
si recién confundíanse las venas,
si sueño y sangre se determinaron,
si volví a ser injusto como el amontonado,

el pobre hombre, el hermano, el todavía,
y cuando ya me despojé de Dios,
cuando la claridad de la pobre mujer,
Rosía, predilecta de los árboles,
Rosía, rosa de la mordedura,
Rosía, araña de las cordilleras,
cuando me sorprendió la sencillez
y desde fundador de un triste reino
llegué a los puros brazos de una hija de oro,
de una exiliada, huyendo del desastre
y llegó la corteza, la enredadera roja
a cubrirme hasta darme silencio y magnitud,
entonces, en el saco de la derrota, agobiado
por mi destino, libertador al fin
de mi propia prisión, cuando salí a la luz
de tus besos, oh amor, llega el anuncio,
la campana, el reloj, la amenaza, la tierra
que crepita, la sombra
que arde.

Oh amor, abrázate a mi cuerpo
frente al fulgor de la espada encendida!

## LXX

ADVENIMIENTO  Ella sintió crecer adentro de ella
no la razón, sino una rosa dura,
una pasión como una cruz de piedra,
un grito vegetal de sus raíces.
De la tierra erizada brota el humo,
incierta torre, lista
para caer, bocina de los truenos,
río de los dolores.

# LXXI

LA ESPADA<br>ENCENDIDA

Subió la sangre del volcán al cielo,
se desplomó la grieta,
ígnea ceniza, lava roedora,
lengua escondida, ahora derramada,
luna caliente transformada en río.

Salió la espada ardiendo encima
de la boca nevada
y un estertor del fuego
quebró la oscuridad,
luego el silencio
duró un segundo
como una mano helada
y estalló la montaña
su parto de planeta:
lodo y peñascos bajaron, de dónde?
En dónde se juntaron?
Qué querían rodando?

A qué venían?
A qué venía el fuego?

Todo ardía,
el viento repartió
la noticia incendiada
y un trueno ahogado habló toda la noche
como una gran garganta estrangulada.

Oh pavor encendido
de la naturaleza!
Oh muerte de la tierra!
El volcán hambriento
salía a devorar por los caminos.

El volcán roto
desgranó sus racimos,
su cargamento amargo,
su saco de desdicha.
El volcán muerto
revivía rugiendo,
nacía agonizando
en la gran alegría
que destruye.

Saltó la levadura
de las panaderías del subsuelo.
Gemía Dios
como un encarcelado
que fue quemado vivo.
Se derretía Dios
en sus derrotas
y desde su pasión, tortura y muerte,
Dios, muerto para siempre,
amenazó a los hombres con su espada encendida.


## LXXII

LA NAVE   La nave ya estaba llena de pájaros,
Y SUS   llena de zorros, llena de serpientes.
VIAJEROS   La leona quemada trajo sus cachorros,
el águila se sentó en la proa,
los pequeños venados de ojos verdes
duermen junto al jaguar devorador,
los colibríes bailan en la nube
de ceniza mortal que va cayendo,
las ratas de los montes atormentan
las costillas del barco,

las mariposas tejen sus mortajas,
las avispas de corazón azul,
los hormigueros de milicia negra,
los lagartos vestidos de dragones,
los últimos caballos,
los gatos y los perros del bosque,
las liebres y los cisnes,
los chucaos de grito envuelto en lluvia,
las torcazas calzadas de carmín,
los jabalíes con sus dentaduras,
los chingues con relámpago a la espalda,
los patos parecidos al ámbar,
las gallinas del frío,
las enlutadas aves del estiércol,
el ánade amarillo,
la culebra,
la lagartija ensortijada,
la mantis rezadora, rezando,
la abeja de los ulmos,
la pulga del conejo,
el cóndor con su caja de sepulcro,
el murciélago pálido,
allí estaban colmando
la embarcación. Y aquella
nave
parecía un racimo
de cabezas, de plumas asustadas,
de garras procelarias.

No había sitio para los humanos:
para Rhodo y Rosía que llegaban
quemantes y sangrantes a su nave,
a la nave que hicieron con sus manos,
que hicieron con sus sueños
de las duras maderas
que nadie conocía,

sin clavos ni martillos:
con manos y con dientes:
con ternura y pureza.


## LXXIII

EL VIAJE   La nave!
La nave hacia el destino!
Qué destino?
Hacia el mar!
Qué es el mar?

El sueño fue la nave
cortada en la fragancia,
amor, agua, madera,
allí los fugitivos
se abrazaron
antes, después, entonces.

De qué huían?
Del bosque?
De la tierra o del cielo,
de estar juntos o de la soledad?

Trabajaron, amándose, enlazándose
a hurtadillas, caídos en la arena,
entre los árboles como en casas cerradas
de ausentes, casas de hojas:
todo había sido lecho para los dos errantes,
todo era beso, boca rumorosa,
selva, latido, cópula, silencio,
hasta que se decidió la aurora
a detener la noche, y entró el trueno

a rugir y quemar: surgió del tiempo
la espada del castigo
que nadie conocía,
caminaron los condenados.

## LXXIV

VOLCÁN  Corría el hombre, corría la lava,
corría el agua, corría la lava.

Volaba el viento quemador, el fuego
bajaba royendo roca,
sobresaltando ríos
se despeñaba el fuego,
el volcán palpitaba
y diente a diente remordía,
seguía a los que huyeron,
a los pájaros,
al aire para enfurecerlo,
al agua para aniquilarla.

El volcán vivo,
vivía, resurrecto,
mordía con los pétalos
del humo,
mataba con integridad terrible.

## LXXV

EL VIAJE  Se soltó el barco, el barco
de animales oscuros,

de palomas y perros fugitivos.
Y allí, entre gatos y aves,
los desnudos del frío,
Rhodo y ella, los solos
que salían
del gran desierto verde,
de la lluvia,
del reino negro de la soledad.
Y ahora
los alcanzaba el fuego,
los mordía la muerte,
los seguía el silencio
calcinado.


# LXXVI


LA NAVE  Nave, arranca, atraviesa
la rosa de ceniza!
Nave del Sur, redonda como luna o manzana,
poblada por el miedo,
avanza! Arden los lagos,
chisporrotea el rostro del invierno,
galopan los caballos del volcán.

Avanza, nave de los delicados,
de los resurrectos,
de los que quieren ser,
nave de Rhodo,
rosa de Rosía,
avanza hacia la espuma litoral,
hacia la azul milicia de la ola,
hacia los siete océanos y sus valientes islas,
nave del Sur, fragancia

de la pura frescura
de los bosques,
hacia todos los números del mar,
oh nave, naveguemos!


## LXXVII


VOLCÁN    Allí viene el quemante,
          el río del azufre,
          la lengua que devora,
          se arrastra,
          cruje y sigue
          calcinando:
          los árboles sintieron
          la mordedura
          de un hocico de fuego,
          los brotes, las raíces
          estallaban,
          los dulces animales
          eran sobrepasados
          por la arteria candente:
          baja la muerte ígnea,
          la brasa abrasadora
          extirpa toda vida
          con su cauce sulfúrico,
          con sus guadañas rojas:
          arde la escoria
          sobre la copa de las araucarias,
          la lava rompe rocas,
          el lento incendio corre
          y sigue al barco.
          Te quema el paraíso,
          te persigue el infierno.

Aléjate, varón,
se quema el reino!

Eres el expulsado de la selva.

El gran amor se paga
con la carne y el alma,
con el fuego.

# LXXVIII

LA NAVE La embarcación salta de las lagunas
y navega
entre los ventisqueros, los cuchillos
de nieve y poderío.

Un ojo de la tierra es agua azul,
otra laguna es verde como alfalfa,
otra es de color de puma,
y la nave resalta,
cruje y corre y escapa.

El volcán la persigue
con su implacable ola,
con sus garras ardientes,
y la nave
cruza nieve y pantanos,
cae por los barrancos,
sube los montes en un hilo de agua,
sigue
desvencijándose:
ya la queman las llamas,
ya se la traga la ceniza:

rugen las fieras, mueren las abejas,
se agitan los pesados animales,
tiemblan las mariposas
en la incineración de la belleza.


## LXXIX

LOS DIOSES El hombre se llama Rhodo
y la mujer Rosía.

Conducían la nave,
dirigían el mundo de la nave:
de pronto allí, cerca de la cascada
y cerca de morir, con las pestañas
quemadas y los cuerpos desollados,
y los ojos amargos de dolor,
sólo allí comprendieron
que eran dioses,
que cuando el viejo Dios levantó la
columna
de fuego y maldición, la espada ígnea,
allí murió el antiguo,
el maldiciente,
el que había cumplido y maldecía su obra,
el Dios sin nuevos frutos
había muerto y ahora
pasó el hombre a ser Dios.

Puede morir, pero debe nacer
interminablemente:
no puede huir: debe poblar la tierra,
debe poblar el mar: sólo los nuevos dioses
mordieron la manzana del amor.

# LXXX

VOLCÁN La espada derretida
baja entre los peñascos
ofendiendo.
El aluvión de brasa,
la lenta estrella que consume y quema,
desciende carcomiendo.
Arde la vida,
se rompe el mineral,
caen los vegetales abrumados
por la ceniza ardiente
y sigue el sol de lava
destruyendo.
Las colmenas se parten y reparten
chispas de miel y fuego.
Entra la racha por las madrigueras
calcinando las garras que dormían:
a la nave, a la nave
se dirige
el castigo.

La embarcación desciende
entre el amanecer y el ventisquero
con su cargamento asustado:
las bestias mudas
bajo el mando del hombre,
del hombre y la mujer autorizados
para salvar el mundo:
gobernadores de la nueva nave,
progenitores de la salvación.

# LXXXI

LA El río abre las aguas de repente
CATARATA y un sonido de trueno, llanto, océano,
llega a Rosía y la despierta y corre
ella hacia Rhodo y se desploman
nave, bestias, amor, en el abismo:
la catarata los levanta en vilo
y los hace caer desde su cielo,
los inunda y los pierde y los naufraga,
los recobra y los hunde,
los precipita al vértigo, en la espuma,
al rayo de agua, al golpe,
los recoge en sus manos de vapor,
los enlaza en el arco iris.

La nave cae y cruza:
ha muerto y redivive.

Como piedra que cae se sumerge,
vuela después como pluma de pájaro,
se hace trizas tal vez y un dedo de agua
sostuvo su estructura procelaria.

Las cabezas bestiales se dispersan,

Rhodo y Rosía mueren y no mueren
hasta que un nuevo río como un brazo
los lleva destrozados hacia el mar.

La venganza del fuego quedó atrás.

El volcán abdicó su profecía.

# LXXXII

LA LUZ   La boca de él en su boca.

La mano de ella sobre la piel del hombre.

Durmieron cuarenta horas de luz

y cuarenta de sombra.

El mar los sostenía.

El aire azul, sin mancha,

sin lluvia, sin ceniza.

El sol central con su fuego redondo.

La extensión del océano,

su estímulo profundo,

y la espaciosa libertad del día.

# LXXXIII

LOS   Como el mundo había muerto
NUEVOS   los maltratados dos,
DIOSES   los expulsados,
escapados del último castigo,
sin Dios, sin nadie, sin Edén, caídos
con un racimo de animales locos

en medio del océano,
Rhodo y Rosía, humanos y divinos,
muertos de amor y de conocimiento,
golpeados, desollados, hijos de la catástrofe,
eran de nuevo el destino.

La libertad del mar los levantaba
en su espacioso vientre:
ondulaban sin rumbo y sin dolor
en una nave sola,
de nuevo solos, pero ahora dueños
de sus arterias, dueños
de sus palabras, dioses
comunes, libres en el mar.


## LXXXIV


EL PASADO   Oh estatuas en la selva, oh soledad,
oh ciudad destruida en el follaje,
atrás, atrás bendición, maldición,
Edén prestado por un Dios ausente,
envuelto en su codicia, amenazante!

Porque cuando fundaron el amor
y se extendieron como vegetales
sobre la tierra natural, llegó
la ley del fuego con su espada
para vencerlos, para incinerarlos.

Pero ya habían aprendido el oficio
de metal y madera, eran divinos:
el primer hombre era el primer divino,
la primera mujer su rosa diosa:
ya no tenían por deber morir,
sino multiplicarse sobre el mar.

## LXXXV

AMANECER Rhodo puso su cuerpo en Rosía,
Rosía recibió su caricia ondulando
y ambos una vez más se estrellaron, distantes,
cercanos, infinitamente puros,
se recorrieron con la boca y la médula,
se hundieron en la ola que tocaba un abismo,
se abrieron para sembrarse y revivir,
se cayeron de bruces, se apagaron, murieron.

## LXXXVI

AQUÍ Dice Rhodo: Yo me consumí
TERMINA Y en aquel reino que quise fundar
COMIENZA y no sabía ya que estaba solo.
ESTE LIBRO Fue mi noción quebrantar esa herencia
de sangre y sociedad: deshabitarme.
Y cuando dominé la paz terrible
de las praderas, de los ventisqueros,
me hallé más solitario que la nieve.

Fue entonces: tú llegaste del incendio
y con la autoridad de tu ternura
comencé a continuarme y a extenderme.

Tú eres el infinito que comienza.

Tan simple tú, hierba desamparada
de matorral, me hiciste despertar
y yo te desperté, cuando los truenos
del volcán decidieron avisarnos

que el plazo se cumplía
yo no quise extinguirte ni extinguirme.


## LXXXVII

DICEN Y
VIVIRÁN

Dice Rosía: Rompimos la cadena.
Dice Rhodo: Me darás cien hijos.
Dice Rosía: Poblaré la luz.
Dice Rhodo: Te amo. Viviremos.
Dice Rosía: Sobre aquellas arenas
diviso sombras.
Dice Rhodo: Somos nosotros mismos.
Dice Rosía: Sí, nosotros, al fin.
Dice Rhodo: Al principio: nosotros.
Dice Rosía: Quiero vivir.
Dice Rhodo: Yo quiero comer.
Dice Rosía: Tú me diste la vida.
Dice Rhodo: Vamos a hacer el pan.
Dice Rosía: Desde toda la muerte
llegamos al comienzo de la vida.
Dice Rhodo: No te has visto?
Dice Rosía: Estoy desnuda. Tengo frío.
Dice Rhodo: Déjame el hacha.
Traeré la leña.
Dice Rosía: Sobre esta piedra
esperaré para encender el fuego.

NOTA

# La ciudad de los Césares

En el Sur de Chile, en un lugar de la Cordillera de los Andes que nadie puede precisar, existe una ciudad encantada de extraordinaria magnificencia. Todo en ella es oro, plata y piedras preciosas. Nada puede igualar a la felicidad de sus habitantes, que no tienen que trabajar para subvenir a las necesidades de la vida, ni están sujetos a las miserias y dolores que afligen al común de los mortales. Los que ahí llegan, pierden la memoria de lo que fueron mientras permanecen en ella, y si un día la dejan se olvidan de que la han visto.

La ciudad de los Césares está encantada en la Cordillera de los Andes, a la orilla de un gran lago.

El pavimento de la ciudad es de plata y oro macizos.

Para asegurar mejor el secreto de la ciudad, no se construyen allí lanchas ni buques, ni ninguna clase de embarcación. El que una vez ha entrado en la ciudad pierde el recuerdo del camino que a ella le condujo.

Sebastián Caboto, marino veneciano al servicio de España, antes de partir al descubrimiento de «las minas comarcanas al río del Paraguay», dio licencia al capitán Francisco César para que, en unión de catorce individuos que le seguían, fuese a descubrir las minas de oro y plata que existían «en la tierra adentro». César partió del fuerte de Sancti Spiritus (edificado por Caboto a la orilla del río Carcarañá) en noviembre de 1528, y dividió su gente en tres grupos, que tomaron otros tantos caminos distintos. Dos meses y medio después, regresó César acompañado de siete de sus compañeros, y de lo que él y los suyos contaron de la expedición sólo se sabe que dijeron «que habían visto grandes riquezas de oro e plata e piedras preciosas». «Siendo el hecho exacto, dice Medina, es necesario suponer que alcanzaron hasta los límites del imperio de los Incas, atravesando así toda la pampa.» (*El veneciano Sebastián Caboto al servicio de España*, I, 194.)

Muchas fueron las expediciones que en los siglos dieciséis, diecisiete y dieciocho se organizaron para descubrir la ciudad de los Césares, o «los Césares», como más comúnmente se decía, y aun «hace pocos años salió una nueva expedición capitaneada por respetables vecinos del Archipiélago», escribe don F. J. Cavada en su interesante libro *Chiloé y los chilotes*, 87-88. Huelga decir que todas fracasaron. Pero es curioso leer las relaciones de los expedicionarios, ninguno de los cuales insinúa siquiera la sospecha de que pueda tratarse de una fábula: tanta era la fe de aquellos maravillosos aventureros en la absurda tradición. Alguno hubo –el P. Menéndez, franciscano– que en las postrimerías del siglo XVIII realizó nada menos que cuatro viajes en busca de los famosos Césares.

Tomado del libro de Julio Vicuña Cifuentes,
*Mitos y supersticiones de Chile*, Santiago, 1919.

# Las piedras del cielo

# PRÓLOGO

## Allá voy, allá voy, piedras, esperen!

### José Miguel Varas

*Las piedras del cielo*, cuya primera edición data de 1970, es uno de los últimos libros publicados en vida del poeta. Habrá todavía otros tres –*Geografía Infructuosa, Incitación al nixonicidio y alabanza de la revolución chilena* y *La rosa separada*– antes de su muerte, el 23 de septiembre de 1973. Para el año siguiente, en que cumplía 70 años, Neruda había dispuesto el lanzamiento de ocho libros de poemas, a la manera de una salva de fuegos artificiales, para festejar su cumpleaños 70. Todos han tenido ediciones póstumas.

En la obra que prologamos está presente el sentimiento de la cercanía de la muerte, aunque con menos fuerza o insistencia que en la poesía posterior. Hacia 1970, ya se hacen presentes los síntomas de la enfermedad final y ha llegado a su término, en una especie de cataclismo, que el poeta compara con el estallido de un volcán, su último romance, su última aventura de amor.

Las piedras ocupan un lugar considerable en la poesía de Pablo Neruda. Como en la de Gabriela Mistral. No es raro. En rigor, el territorio de Chile, un valle estrecho entre dos cordilleras, se compone principalmente de piedra. «Patria de piedra», la llama el poeta, en un verso de este libro. En el norte del país, el valle convertido en meseta es, en esencia, un pedregal. Sólo en el sur, en las tierras natales de Neruda, se impone la vegetación y por momentos oculta el espinazo duro del país que en estas regiones declina y se inclina como un caballo echado a pique, para usar, una vez más, una imagen nerudiana.

La piedra, bajo diversas formas, como símbolo de permanencia, del continente originario y de la resistencia al invasor, asoma una y otra vez en el *Canto General*. Antes en

*El hondero entusiasta* (1923), donde son símbolo amoroso o, si se prefiere, sexual, y de afirmación personal:

> *Ay, mi dolor, amigos, ya no cabe en mi vida.*
> *Y en él cimbro las hondas que van volteando estrellas!*
> *Y en él suben mis piedras en la noche enemiga!*

«Alturas de Macchu Picchu», parte del *Canto General*, es en su totalidad un canto a la ciudad de piedra («madre de piedra») y una reflexión sobre la piedra como eternidad sin memoria:

> *Piedra en la piedra, el hombre, dónde estuvo?*

En otros poemas del mismo libro, invoca a los «padres de piedra»:

> *No tuvieron mis padres araucanos*
> *cimeras de plumaje luminoso,*
> *no descansaron en flores nupciales,*
> *no hilaron oro para el sacerdote:*
> *eran piedra y árbol, raíces (...)*

Los treinta poemas de *Las piedras del cielo*, sin dejar de volver a la significación esencial, metafísica si se quiere, de la materia primordial, están dedicados en su mayor parte a las piedras preciosas, tan cargadas de símbolos en la creencia de muchos pueblos antiguos y modernos.

En su completísima obra *Neruda total* (Ed. Systhema, Chile, 1991), el investigador Eulogio Suárez, al comentar *Las piedras del cielo*, hace notar que el joven Neruda, en una de sus crónicas sobre sus viajes al Oriente (1927), habla de la pedrería, de los brazaletes de ámbar de las danzarinas de Djibouti, del rubí o el diamante que los ricos señores de Colombo llevan incrustado en el entrecejo.

Sin embargo, no tuvo el poeta en su vida predilección especial por las piedras preciosas. A diferencia de otros artistas, nunca usó anillos con zafiros, rubíes o brillantes y a su compañera Matilde más de una vez le regaló, como ella mismo lo dijo una vez, «piedras del río», en las que el poeta encontraba belleza y una significación mayores.

*Las piedras del cielo* corresponde, sin duda, al bello proyecto imposible que notoriamente concibió Neruda desde muy temprano: incorporar a su poesía todo lo existente sobre la tierra, bajo la tierra, en los océanos o más allá. De aquí sus enumeraciones exhaustivas y el afán de poetizar los más diversos materiales y habitantes del planeta. Se abre el libro con la evocación de las piedras que volaron, origen de las terrestres, aquellas que

> *dieron un grito en la noche,*
> *un signo de agua,*
> *una espada violeta,*
> *un meteoro.*

Para el poeta las piedras preciosas tienen un origen celeste. Dedica a cada una versos de límpida belleza, definiciones de su esencia y de sus cualidades. Después de hablarnos del cuarzo, «el erizo blanco de las profundidades», proclama su amor por la turquesa:

> *Turquesa, te amo como si fueras mi novia,*
> *como si fueras mía:*
> *en todas partes eres:*
> *eres recién lavada,*
> *recién azul celeste:*
> *recién caes del cielo:*
> *eres los ojos del cielo: (...)*

Canta a la esmeralda, al ágata marina (tan abundante, ay!, antaño, en la «playa de las ágatas» junto a su casa de Isla Negra); canta al topacio, al jaspe, a la cornalina, a la calcedonia, al lapislázuli, a la amatista, a la obsidiana, al zafiro, al alabastro, al diamante, al rubí, con esa su siempre sorprendente erudición, puesta una vez más al servicio de la intención poética y de su plan insensato de nombrar y poetizarlo todo.

Pero no olvida que él mismo fue piedra oscura y volverá a serlo:

> *Déjame un subterráneo, un laberinto*
> *donde acudir después, cuando sin ojos,*
> *sin tacto, en el vacío*
> *quiera volver a ser o piedra muda*
> *o mano de la sombra.*

Sabe que es vano el intento de sobrevivir, con sus «pobres pasiones», pero quisiera entonces «sobremorir».

*Las piedras del cielo* incluye dos singulares textos en prosa, de tono coloquial, directo, pero no menos poéticos. El primero es el relato de la misteriosa transfiguración de una esmeralda, en medio de una tormenta colombiana, en una de las legendarias mariposas de Muzo, de fulgor inextinguible. En el segundo, habla de una gruta de piedra amarilla, descubierta (¿o soñada?) en el laberinto rocoso cercano al peñón de Tralca (trueno, en lengua mapuche). En esta caverna misteriosa, a la que ha llegado el poeta extraviado atravesando una puerta metálica oxidada, al eco ronco de su voz temerosa se agrega al final un lamento penetrante y agudo. Repite la experiencia preguntando en voz más alta: «¿Hay alguien detrás de estas piedras?». El eco responde con la voz enronquecida del poeta y luego extiende «la palabra piedras con un aullido delirante, como venido de otro planeta».

Un misterio sin duda, que probablemente tendrá su explicación científica según las leyes de la acústica pero que nos envuelve en la insinuación de un ser o un alma prisioneros de la piedra, que pugnan por hacerse oír.

Los versos finales regresan, de manera directa, al otro gran misterio, el definitivo. El poeta anhela todavía que de algún modo, en el seno de la piedra funeral, sea preservado como amor, fulgor, luz de eternidad. Es la misma inquietud metafísica que está desde muy temprano en su poesía y, de manera muy explícita y elocuente, en su poema «Significa sombras» de *Residencia en la tierra*. Cierra pues, Neruda, *Las piedras del cielo* retornando a las de la tierra:

*(...) en este punto o puerto o parto o muerte*
*piedra seremos, noche sin banderas,*
*amor inmóvil, fulgor infinito,*
*luz de la eternidad, fuego enterrado,*
*orgullo condenado a su energía,*
*única estrella que nos pertenece.*

# Las piedras del cielo

[1970]

# I

De endurecer la tierra
se encargaron las piedras:
pronto
tuvieron alas:
las piedras
que volaron:
las que sobrevivieron
subieron
el relámpago,
dieron un grito en la noche,
un signo de agua,
una espada violeta,
un meteoro.

El cielo
suculento
no sólo tuvo nubes,
no sólo espacio con olor a oxígeno,
sino una piedra terrestre
aquí y allá, brillando,
convertida en paloma,
convertida en campana,
en magnitud, en viento
penetrante:
en fosfórica flecha, en sal del cielo.


# II

El cuarzo abre los ojos en la nieve
y se cubre de espinas,

resbala en la blancura,
en su blancura:
fabrica los espejos,
se retrata en estratas y facetas:
es el erizo blanco
de las profundidades,
el hijo de la sal que sube al cielo,
el azahar helado
del silencio,
el canon de la espuma:
la transparencia que me destinaron
por virtud del orgullo de la tierra.


### III


Turquesa, te amo como si fueras mi novia,
como si fueras mía:
en todas partes eres:
eres recién lavada,
recién azul celeste:
recién caes del cielo:
eres los ojos del cielo:
rompes la superficie
de la tienda y del aire:
almendra azul:
uña celeste:
novia.

# IV

Cuando todo era altura,
altura,
altura,
allí esperaba la esmeralda fría,
la mirada esmeralda:
era un ojo:
miraba
y era centro del cielo,
el centro del vacío:
la esmeralda
miraba:
única, dura, inmensamente verde,
como si fuera un ojo
del océano,
ojo inmóvil del agua,
gota de Dios, victoria
del frío, torre verde.

# V

(Es difícil decir lo que me pasó en Colombia, patria reconocida de las supremas esmeraldas. Sucede que allí buscaron una
para mí, la descubrieron y la tallaron, la levantaban en los dedos todos los poetas para ofrecérmela, y, ya en lo alto de las
manos de todos los poetas reunidos, mi esmeralda ascendió,
piedra celestial, hasta evadirse en el aire, en medio de una tormenta que nos sacudió de miedo. En aquel país las mariposas, especialmente las de la provincia de Muzo, brillan con
fulgor indescriptible y en aquella ocasión, después de la ascen-
sión de la esmeralda y desaparecida la tormenta, el espacio se

pobló de mariposas temblorosamente azules que oscurecie-
ron el sol envolviéndolo en un gran ramaje, como si hubiera
crecido de pronto en medio de nosotros, atónitos poetas, un
gran árbol azul.

Este acontecimiento sucedió en Colombia, departamento
de Charaquira, en octubre de 194... Nunca recuperé la esmeralda.)

## VI

Busqué una gota de agua,
de miel, de sangre: todo
se ha convertido en piedra,
en piedra pura:
lágrima o lluvia, el agua
sigue andando en la piedra:
sangre o miel caminaron
hasta el ágata.
El río despedaza
su luz líquida,
cae
el vino a la copa,
arde su suave fuego
en la copa de piedra:
el tiempo corre
como un río roto
que lleva graves muertos,
árboles despojados
de susurro, todo
corre hacia la dureza:
se irán el polvo, el otoño,
los libros y las hojas,
el agua: entonces
brillará el sol de piedra
sobre todas las piedras.

## VII

Oh actitud sumergida
en la materia,
opaco muro que resguarda
la torre de zafiro,
cáscaras de las piedras
inherentes
a la firmeza y la docilidad,
al ardiente secreto
y a la piel permanente de la noche,
ojos adentro,
adentro
del escondido resplandor,
callados
como una profecía
que un golpe claro desenterraría.
Oh claridad radiante,
naranja de la luz petrificada,
íntegra fortaleza de la luz
clausurada en lentísimo silencio
hasta que un estallido
desentierre el fulgor de sus espadas.

## VIII

Largos labios del ágata marina,
bocas lineales, besos
transmigrados,
ríos que detuvieron sus azules
aguas de canto inmóvil.

Yo conozco
el camino
que transcurrió de una edad a una edad
hasta que fuego o vegetal o líquido
se transformaron en profunda rosa,
en manantial de gotas encerradas,
en patrimonio de la geología.

Yo duermo a veces, voy
hacia el origen, retrocedo en vilo
llevado por mi condición intrínseca
de dormilón de la naturaleza,
y en sueños extravago
despertando en el fondo de las piedras.


IX


Un largo día se cubrió de agua,
de fuego, de humo, de silencio, de oro,
de plata, de ceniza, de transcurso,
y allí quedó esparcido el largo día:
cayó el árbol intacto y calcinado,
un siglo y otro siglo lo cubrieron
hasta que convertido en ancha piedra
cambió de eternidad y de follaje.


X


Yo te invito al topacio,
a la colmena

de la piedra amarilla,
a sus abejas,
a la miel congelada
del topacio,
a su día de oro,
a la familia
de la tranquilidad reverberante:
se trata de una iglesia
mínima, establecida en una flor,
como abeja, como
la estructura del sol, hoja de otoño
de la profundidad más amarilla,
del árbol incendiado
rayo a rayo, relámpago a corola,
insecto y miel y otoño
se transformaron en la sal del sol:
aquella miel, aquel temblor del mundo,
aquel trigo del cielo
se trabajaron hasta convertirse
en sol tranquilo, en pálido topacio.


## XI


Del estallido a la ruptura férrea,
de la grieta al camino,
del sismo al fuego, al rodamiento, al río,
se quedó inmóvil aquel corazón
de agua celeste, de oro,
y cada veta de jaspe o sulfuro
fue un movimiento, un ala,
una gota de fuego o de rocío.

Sin mover o crecer vive la piedra?

Tiene labios el ágata marina?

No contestaré yo porque no puedo:
así fue el turbulento génesis
de las piedras ardientes y crecientes
que viven desde entonces en el frío.

## XII

Yo quiero que despierte
la luz encarcelada:
flor mineral, acude
a mi conducta:
los párpados levantan la cortina
del largo tiempo espeso
hasta que aquellos ojos enterrados
vuelvan a ser y ver su transparencia.

## XIII

El liquen en la piedra, enredadera
de goma verde, enreda
el más antiguo jeroglífico,
extiende la escritura
del océano
en la roca redonda.
La lee el sol, la muerden los moluscos,
y los peces resbalan
de piedra en piedra como escalofríos.
En el silencio sigue el alfabeto

completando los signos sumergidos
en la cadera clara de la costa.

El liquen tejedor con su madeja
va y viene sube y sube
alfombrando la gruta de aire y agua
para que nadie baile sino la ola
y no suceda nada sino el viento.


## XIV


Piedra rodante, de agua o cordillera,
hija redonda del volcán, paloma
de la nieve,
descendiendo hacia el mar dejó la forma
su cólera perdida en los caminos,
el peñasco perdió su puntiaguda
señal mortal, entonces
como un huevo del cielo entró en el río,
siguió rodando entre las otras piedras
olvidado de su progenitura,
lejos del infernal desprendimiento.

Así, suave de cielo, llega al mar
perfecta, derrotada,
reconcentrada, insigne,
la pureza.

## XV

Hay que recorrer la ribera
del lago Tragosoldo en Antiñana,
temprano, cuando el rocío
tiembla en las hojas duras del canelo,
y recoger mojadas piedras, uvas
de la orilla, guijarros
encendidos, de jaspe,
piedrecitas moradas o panales
de roca, perforados
por los volcanes o las intemperies,
por el hocico del viento.

Sí, el crisolito oblongo
o el basalto etiopista
o la ciclópea carta
del granito
allí te esperan, pero nadie acude
sino el ignoto pescador hundido
en su mercadería palpitante.

Sólo yo acudo, a veces,
de mañana,
a esta cita con piedras resbaladas,
mojadas, cristalinas,
cenicientas,
y con las manos llenas
de incendios apagados,
de estructuras transparentes
regreso a mi familia,
a mis deberes,
más ignorante que cuando nací,
más simple cada día,
cada piedra.

# XVI

Aquí está el árbol en la pura piedra,
en la evidencia, en la dura hermosura
por cien millones de años construida.
Ágata y cornalina y luminaria
substituyeron savias y madera
hasta que el tronco del gigante
rechazó la mojada podredumbre
y amalgamó una estatua paralela:
el follaje viviente
se deshizo
y cuando el vertical fue derribado,
quemado el bosque, la ígnea polvareda,
la celestial ceniza lo envolvió
hasta que tiempo y lava le otorgaron
un galardón de piedra transparente.

# XVII

Pero no alcanza la lección al hombre:
la lección de la piedra:
se desploma y deshace su materia,
su palabra y su voz se desmenuzan.
El fuego, el agua, el árbol
se endurecen,
buscan muriendo un cuerpo mineral,
hallaron el camino del fulgor:
arde la piedra en su inmovilidad
como una nueva rosa endurecida.

Cae el alma del hombre al pudridero
con su envoltura frágil y circulan

en sus venas yacentes
los besos blandos y devoradores
que consumen y habitan
el triste torreón del destruido.

No lo preserva el tiempo que lo borra:
la tierra de unos años lo aniquila:
lo disemina su espacial colegio.
La piedra limpia ignora
el pasajero paso del gusano.


## XVIII


Ilustre calcedonia,
honor del cielo,
delicada,
oval, tersa, indivisa,
resurrecta,
celebro la dulzura de tu fuego,
la dureza sincera
del homenaje en el anillo fresco
de la muchacha, no eres
el carísimo infierno del rubí,
ni la personalidad de la esmeralda.
Eres más piedra de los caminos,
sencilla como un perro,
opaca en la infinita
transmigración del agua,
cerca de la madera
de la selva olorosa,
hija de las raíces
de la tierra.

# XIX

Se concentra el silencio
en una piedra,
los círculos se cierran,
el mundo tembloroso,
guerras, pájaros, casas,
ciudades, trenes, bosques,
la ola que repite las preguntas del mar,
el sucesivo viaje de la aurora,
llega a la piedra, nuez del cielo,
testigo prodigioso.

La piedra polvorienta en un camino
conoce a Pedro y sus antecedentes,
conoce el agua desde que nació:
es la palabra muda de la tierra:
no dice nada porque es la heredera
del silencio anterior, del mar inmóvil,
de la tierra vacía.

Allí estaba la piedra antes del viento,
antes del hombre y antes de la aurora:
su primer movimiento
fue la primera música del río.

# XX

Ronca es la americana cordillera,
nevada, hirsuta y dura,
planetaria:
allí yace el azul de los azules,

el azul soledad, azul secreto,
el nido del azul, el lapislázuli,
el azul esqueleto de mi patria.

Arde la mecha, crece el estallido
y se desgrana el pecho de la piedra:
sobre la dinamita es tierno el humo
y bajo el humo la osamenta azul,
los terrones de piedra ultramarina.

Oh catedral de azules enterrados,
sacudimiento de cristal azul,
ojo del mar cubierto por la nieve
otra vez a la luz vuelves del agua,
al día, a la piel clara
del espacio,
al cielo azul vuelve el terrestre azul.

## XXI

Las pétreas nubes, las amargas nubes
sobre los edificios del invierno
dejan caer los negros filamentos:
lluvia de piedra, lluvia.

La sociedad espesa
de la ciudad no sabe
que los hilos de piedra descendieron
al corazón de la ciudad de piedra.

Las nubes desembarcan saco a saco
las piedras del invierno
y cae desde arriba el agua negra,
el agua negra sobre la ciudad.

## XXII

Entré en la gruta de las amatistas:
dejé mi sangre entre espinas moradas:
cambié de piel, de vino, de criterio:
desde entonces me duelen las violetas.

## XXIII

Yo soy este desnudo
mineral:
eco del subterráneo:
estoy alegre
de venir de tan lejos,
de tan tierra:
último soy, apenas
vísceras, cuerpo, manos,
que se apartaron sin saber por qué
de la roca materna,
sin esperanza de permanecer,
decidido al humano transitorio,
destinado a vivir y deshojarse.

Ah ese destino
de la perpetuidad oscurecida,
del propio ser –granito sin estatua,
materia pura, irreductible, fría:
piedra fui: piedra oscura
y fue violenta la separación,
una herida en mi ajeno nacimiento:
quiero volver
a aquella certidumbre,

al descanso central, a la matriz
de la piedra materna
de donde no sé cómo ni sé cuándo
me desprendieron para disgregarme.


## XXIV


Cuando regresé de mi séptimo viaje, antes de abrir la puerta
de mi casa, se me ocurrió extraviarme en el laberinto rocoso de Trasmañán, entre el peñón de Tralca y las primeras casas
del Quisco Sur. En busca de una anémona de color violentísi-
mo que muchas veces, años antes, contemplé adherida a los
muros de granito que la rompiente lava con sus estallidos sa-
lados. De pronto me quedé inmovilizado frente a una antigua
puerta de hierro. Creí que se trataba de un despojo del mar:
no era así: empujando con fuerza cedieron los goznes y entré
en una gruta de piedra amarilla que se alumbraba sola, tanta
luz irradiaban grietas, estalactitas y promontorios. Sin duda
alguien o algo habitó alguna vez esta morada, a juzgar por
los restos de latas oxidadas que sonaron a mi paso. Llamé en
voz alta por si alguien estuviera oculto entre las agujas amarillas. Extrañamente, fui respondido: era mi propia voz, pero
al eco ronco se agregaba al final un lamento penetrante y agudo. Repetí la experiencia, preguntando en voz más alta aún:
Hay alguien detrás de estas piedras? El eco me respondió de
nuevo con mi propia voz enronquecida y luego extendió la
palabra piedras con un aullido delirante, como venido de
otro planeta. Un largo escalofrío me recorrió clavándome a la
arena de la gruta. Apenas pude zafar los pies, lentamente,
como si caminara bajo el mar, regresé hacia la puerta de hierro de la entrada. Pensaba durante el esforzado retorno que si
miraba hacia atrás me convertiría en arena, en piedra dorada,
en sal de estalactita. Fue toda una victoria aquella evasión

silenciosa. Llegado al umbral volví la cabeza entrecerrando el ala oxidada del portón y de pronto oí de nuevo, desde el fondo de aquella oscuridad amarilla, el lamento agudo y redoblado, como si un violín enloquecido me despidiera llorando.

Nunca me atreví a contar a nadie este suceso y desde entonces evito aquel lugar salvaje de grandes rocas marinas que castiga el océano implacable de Chile.

## XXV

Cuando se toca el topacio
el topacio te toca:
despierta el fuego suave
como si el vino en la uva
despertara.
Aún antes de nacer, el vino claro
adentro de una piedra
busca circulación, pide palabras,
entrega su alimento misterioso,
comparte el beso de la piel humana:
el contacto sereno
de piedra y ser humano
encienden una rápida corola
que vuelve luego a ser lo que antes era:
carne y piedra: entidades enemigas.

## XXVI

Déjame un subterráneo, un laberinto
donde acudir después, cuando sin ojos,

sin tacto, en el vacío
quiera volver a ser o piedra muda
o mano de la sombra.

Yo sé, no puedes tú, nadie, ni nada,
otorgarme este sitio, este camino,
pero, qué haré de mis pobres pasiones
si no sirvieron en la superficie
de la vida evidente
y si no busco, yo, sobrevivir,
sino sobremorir, participar
de una estación metálica y dormida,
de orígenes ardientes.


# XXVII


Repártase en la crisis,
en otro génesis, en el cataclismo,
el cuerpo de la que amo,
en obsidiana, en ágata, en zafiro,
en granito azotado
por el viento de sal de Antofagasta.
Que su mínimo cuerpo,
sus pestañas,
sus pies, sus senos, sus piernas de pan,
sus anchos labios, su palabra roja
continúen la piel del alabastro:
que su corazón muerto
cante rodando y baje
con las piedras del río
hacia el océano.

## XXVIII

El cuadrado al cristal llega cayendo
desde su simetría:
aquel que abre las puertas de la tierra
halla en la oscuridad, claro y completo,
la luz de este sistema transparente.

El cubo de la sal, los triangulares
dedos del cuarzo: el agua lineal
de los diamantes: el laberinto
del azufre y su gótico esplendor:
adentro de la nuez de la amatista
la multiplicación de los rectángulos:
todo esto hallé debajo de la tierra:
geometría enterrada:
escuela de la sal: orden del fuego.

## XXIX

Hay que hablar claro de las piedras claras,
de las piedras oscuras,
de la roca ancestral, del rayo azul
que quedó prisionero en el zafiro,
del peñasco estatuario en su grandeza
irregular, del vuelo submarino,
de la esmeralda con su incendio verde.

Ahora bien, el guijarro
o la mercadería fulgurante,
el relámpago virgen del rubí
o la ola congelada de la costa

o el secreto azabache que escogió
el brillo negativo de la sombra,
pregunto yo, mortal, perecedero,
de qué madre llegaron, de qué esperma
volcánica, oceánica, fluvial,
de qué flora anterior, de cuál aroma,
interrumpido por la luz glacial?
Yo soy de aquellos hombres transitorios
que huyendo del amor en el amor
se quedaron quemados, repartidos
en carne y besos, en palabras negras
que se comió la sombra:
no soy capaz para tantos misterios:
abro los ojos y no veo nada:
toco la tierra y continúo el viaje
mientras fogata o flor, aroma o agua,
se transforman en razas de cristal,
se eternizan en obras de la luz.


## XXX


Allá voy, allá voy, piedras, esperen!

Alguna vez o voz o tiempo
podemos estar juntos o ser juntos,
vivir, morir en ese gran silencio
de la dureza, madre del fulgor.

Alguna vez corriendo
por fuego de volcán o uva del río
o propaganda fiel de la frescura
o caminata inmóvil en la nieve
o polvo derribado en las provincias

de los desiertos, polvareda
de metales,
o aún más lejos, polar, patria de piedra,
zafiro helado,
antártica,
en este punto o puerto o parto o muerte
piedra seremos, noche sin banderas,
amor inmóvil, fulgor infinito,
luz de la eternidad, fuego enterrado,
orgullo condenado a su energía,
única estrella que nos pertenece.

# Notas

HERNÁN LOYOLA

———

# Índice
# de primeros versos

# Abreviaturas

BCC    Biblioteca Clásica y Contemporánea, colección de Editorial Losada.

CGN    Neruda, *Canto general*, 1950.

ESP    Neruda, *La espada encendida*, 1970.

FDM    Neruda, *Fin de mundo*, 1969.

HYE    Neruda, *El habitante y su esperanza*, 1926.

OC    Neruda, *Obras completas*, Editorial Losada, 1957, 1962, 1968, 1973.

OCGC    Neruda, *Obras completas*, Galaxia Gutenberg/Círculo de Lectores, 1999-2000.

TER    Neruda, *Tercera residencia*, 1947.

VCP    Neruda, *Los versos del Capitán*, 1952.

# Referencias bibliográficas

Alone

Alone [Hernán Díaz Arrieta], *Los cuatro grandes de la literatura chilena durante el siglo* xx. *Augusto D'Halmar, Pedro Prado, Gabriela Mistral, Pablo Neruda*, Santiago, Zig-Zag, 1962.

Teitelboim

Volodia Teitelboim, *Neruda*, edición actualizada, Santiago, Sudamericana [de Chile], 1996.

# Maremoto

## Composición

«Estos 17 poemas se inscriben dentro de la poderosa tendencia nerudiana a hacer el inventario poético de la naturaleza patria, a la manera de las *Odas elementales* y de *Arte de pájaros* [...]. El título, *Maremoto*, si bien sugiere lo más violento de nuestra naturaleza, es aquí sólo un pretexto para englobar los objetos mínimos que la retirada de las aguas deja al descubierto sobre la arena» (Ignacio Valente, «Poemas casi póstumos de Neruda», en *Revista de Libros* [de *El Mercurio*], Santiago, 8.12.1991). En realidad el título aludió desde otra perspectiva al mismo fenómeno del poema «Datos para la marejada del 25 de julio» (*Ercilla*, núm. 1.730, Santiago, 14.8.1968) que después pasó a *Fin de mundo* con nuevo título: «Marejada en 1968. Océano Pacífico».

Los poemas, entonces, habrían sido escritos en 1968 como el de la «Marejada» y, en cuanto prolongación de ese texto, probablemente estaban también destinados a formar parte de *Fin de mundo*. Neruda los habría desgajado de ese libro cuando entrevió la posibilidad de un volumen híbrido, de esos que mucho le gustaban, en colaboración con la artista sueca Carin Oldfelt Hjertonsson. A la prospección de tal posibilidad seguramente no fueron ajenos Flavián Levine y sus amigos de la Sociedad de Arte Contemporáneo.

## Ediciones

(1) *Maremoto*, Santiago, Sociedad de Arte Contemporáneo, 1970, 82 pp. Formato 35 × 37 cm. Xilografías a color de Carin Oldfelt Hjertonsson.

### Colofón

Esta primera edición de *Maremoto*, poemas de Pablo Neruda, consta de 110 ejemplares sobre papel Ingres impresos en serigrafía por Estudios Norte. El libro está ilustrado con 15 xilografías de Carin Oldfelt Hjertonsson estampadas sobre papel Japonés, siendo la totalidad de la edición firmada por el poeta y la artista grabadora. El ejemplar número 1 incluye además los manuscritos originales del libro.

(2) *Maremoto*, Santiago, Pehuén Editores, 1991, 88 pp. Reproduce la edición de 1970 con las 15 xilografías de Carin Oldfelt. Prólogo de Raúl Zurita. Formato 35 × 26 cm. Hay tirada en rústica, formato 20 × 15 cm. Reedición: 1996.

# Aún

## Composición

Robert Pring-Mill precisó oportunamente a los lectores del *Times Literary Supplement* (16.4.1970) que este libro –«the shortest of all Neruda's titles»– fue escrito durante el 5 y el 6 de julio de 1969, a pocos días del 65 cumpleaños del poeta, e impreso a toda velocidad por quien fuera su primer editor: Nascimento. De los 500 ejemplares tirados, 250 los regaló el poeta a diestra y siniestra. Al cabo de un año difícil e intenso, marcado por las acechanzas de la enfermedad pero también por una relación amorosa clandestina, el texto tiene todas las trazas de un mensaje de autoafirmación y de desafío al tiempo venidero. Como quien ha escapado a un grave peligro o emerge de un túnel interminable.

## Ediciones

(1) *Aún*, Santiago, Nascimento, 1969, 68 pp. Formato 27 × 18 cm. Tirada de 500 ejemplares, de los cuales sólo 250 fueron puestos a la venta.

(2) *Aún*, Barcelona, Lumen, 1971, 77 pp. Colección Palabra Menor. Formato 18 × 12 cm.

## El texto

Los 28 fragmentos del libro, escritos prácticamente de un envión en sólo dos días, se nos ofrecen con evidente unidad de tono y de respiración rítmica. «This is a single poem of 433 lines –escribió Pring-Mill (1970)– and it is perhaps the finest *long poem* he [Neruda] has written in the past twenty years.»

# La espada encendida

## Composición

Este libro singular fue escrito en 1969-1970. El tratamiento post-apocalíptico del tema de la Expulsión de la Pareja Primordial (y de la conexa Rehabitación de la Historia) remite menos al Génesis, explícitamente invocado, que a otra bien precisa –aunque no declarada– fuente literaria: «El incendio terrestre», texto en prosa de Marcel Schwob que Neruda tradujo en juventud (*Zig-Zag*, núm. 974, Santiago, 26.5.1923; fue recogido en *OC* 1973,* vol. III, pp. 759-762, y está incluido en el volumen IV de *OCGC*). En segundo lugar, remite al extratexto biográfico, a una situación vinculada a la última pasión amorosa del poeta y al sordo conflicto conyugal que esa pasión clandestina generó. Tal conexión aparece con detalles y con aclaración de los personajes –los reales y los ficticios Rhodo, Rosía y el Volcán– en la biografía escrita por Teitelboim** (pp. 449-453) cuyo autor, siendo íntimo amigo de Neruda, tuvo acceso a información de primera mano.

Como es habitual en su poesía, pero acentuando a fondo dicha tendencia, la vivencia autobiográfica prefiere refugiarse en un sistema de lenguaje cifrado. Pero a la vez el hombre acosado, desdeñando toda insignificancia y distanciándose de la historia picante, transfigura su problema personal en duelo contra el cataclismo máximo, equiparándolo al diluvio de los cuarenta días y las cuarenta noches y a la hora de la catástrofe nuclear. Por la fuerza del sentimiento sobrevivirá a todo. Su respuesta anuncia un elemento más: el poder de la poesía y del amor volverán a poblar el mundo. Gracias a la pareja condenada se salvará el Hombre, continuará el tiempo, se garantizará el futuro [...].

(Teitelboim, p. 452.)

El corte postapocalíptico de *ESP* remite en tercer lugar a la perspectiva ideológica que gobernó la última fase de la escritura de Neruda. En *Los versos del Capitán* de 1952 la pareja de amantes realizaba el Amor a través de la común inserción en la Historia. Era la óptica *moderna* del poeta. En *ESP* de 1970 los amantes realizan el Amor huyendo de la Historia, huyendo del Apocalipsis planetario

---

* Véase «Abreviaturas», p. 164.

** Véase «Referencias bibliográficas», p. 165.

y del propio pasado para refugiarse y renacer en la primordial soledad del Sur del mundo (Patagonia). La nueva Vida emerge otra vez
desde la muerte colectiva, desde la catástrofe total, desde la gran
Muerte, tal como 25 años antes en «Alturas de Macchu Picchu»,
pero ahora con *opuesta* modulación. En *ESP* los amantes no rena-
cen a partir de la transformación revolucionaria de la historia, como
el Capitán y su Rosario, sino a partir del rechazo total de la historia
contemporánea. *ESP* fue la contraversión *posmoderna* de *VCP*. La
referencia bíblica del título –la flamígera espada del ángel– parece
postular precisamente el bloqueo de toda tentación de retorno al paraíso incumplido de la modernidad.

A quien interese una lectura en profundidad de *ESP*, lo remito a
las abundantes y excelentes páginas que a esta obra ha dedicado
Alain Sicard, especialmente a lo largo de su libro *El pensamiento
poético de Pablo Neruda* (Madrid, Gredos, 1981).

## Ediciones

(1) *La espada encendida*, Buenos Aires, Losada, 1970 (septiembre 24), 152 pp. Formato 23×16 cm. Reedición: 1972.

(2) *La espada encendida*, Buenos Aires, Losada, 1972, 156 pp.,
BCC, núm. 379. Reedición: 1976.

(3) *La espada encendida*, Barcelona, Seix Barral, 1977. Reedi-
ciones: 1981, 1983.

## El texto: algunas observaciones

De nuevo, como en 1926, Neruda se enfrentó en 1969-1970 con
su personal dificultad para elaborar textos dominantemente narra-
tivos. Enfrentamiento a contrapelo en el caso de *HYE* («No me in-
teresa relatar cosa alguna»), a voluntad en el caso de *ESP*, pero en
ambos textos la propensión lírica obstaculizó la definición narra-
tiva y la necesaria estructuración de las tensiones dinámicas que
habrían debido gobernar la andadura del relato. Sólo que las pocas
páginas de *HYE* disimularon mejor el problema que los 87 ambicio-
sos fragmentos de *ESP*.

x. LAS FIERAS. (Página 59.) «Hay en *La espada encendida* notas
que nos recuerdan poemas eróticos de *Residencia en la tierra* («Oda
con un lamento», «Material nupcial», «Agua sexual»). La imagen
de los amantes *interminablemente exterminados* de "Las furias y las

penas" (*TER*) resurge aquí y allá» (Sicard, p. 538, a propósito de
este fragmento).

XIV. EL POETA INTERROGA. (Página 62.) «quién /[...]/ dictó de
nuevo el castigo para los amorosos?» Notar que *HYE* y *ESP* apare-
cen acomunados no sólo por ser dominantemente narraciones, sino
también por ser variaciones del tema del triángulo amoroso. En ambos textos hay un vengador que impone un castigo y un castigado
que intenta superar o contrastar las consecuencias de la punición a
través de la fuga y/o de una contra-venganza (que en *ESP* sería el
triunfo final de la pareja transgresora).

XV. SOBREVIVIENTES. (Páginas 62-63.) «porque el asesinado era
culpable»: este fragmento repropone el tema de la culpa compartida por Caín y Abel, característico en *FDM*.

XXV. EL GRAN INVIERNO. (Página 72.) Verso 7: Losada 1970,
«las *armas* enemigas de la selva»; *OC* 1973, «las *ramas* enemigas de
la selva».

LXXIII. EL VIAJE. (Páginas 115-116.) *OC* 1973 modificó los si-
guientes versos finales que traía Losada 1970:

> [...] surgió del tiempo
> la espada del castigo
> y otra vez, hombre y mujer, caminaron:
> caminaron los condenados.

# Las piedras del cielo

## Composición

Aquí encontrará una crónica que he escrito para Zig-Zag con el propósito único de comprar un anillo a mi amiga. Perdone que la entregue a us-
ted: no quiero andar con C. Acuña. Ojalá la recomendara. Le estaría
agradecido por el anillo que tendrá una piedra azul y triangular.

(De una carta de Neruda, 1923; en Alone, p. 225.)

Aún no cumplía 20 años este Neruda ya atento a la forma y al color (y seguramente también a otras dimensiones o aspectos) de las
*piedras del cielo*. «Cuando viaja a Oriente en 1927 –nos recuerda
Suárez (p. 279)–, las piedras o joyas no pasan inadvertidas para él.

En sus crónicas de viaje escritas para el diario *La Nación* de Santiago [están incluidas en el volumen IV de *OCGC*] habla de los brazaletes de ámbar de las danzarinas de Djibouti, pinta a los ricos señores de Colombo que pasean con un rubí o un diamante incrustado en el entrecejo, describe las tiendas donde venden elefantes de ébano con colmillos de marfil, pedrerías de todas dimensiones, etc.»

No sólo las piedras preciosas atrajeron la particular atención de Neruda, como lo atestiguan el poema «Las piedras de la orilla» (*CGN*, XIV, XVIII) y sobre todo el libro *Las piedras de Chile* (1961), cuyos textos convocaron el roquerío de Isla Negra en un momento de crisis de refundación del Sujeto (ver mi nota al poema «Historia» en *OCGC*, vol. II, p. 1389). Diez años después (1970) las piedras preciosas –y también las de inferior linaje– atrajeron de nuevo a Neruda, pero esta vez no sólo por razones de esplendor sino ante todo por la invulnerabilidad de las piedras –preciosas y no– frente a esa Muerte que el poeta sentía cada vez más próxima y amenazante. Al centro del libro el poema XVII resume la clave: la lección de la piedra no sirve al hombre, porque «Cae el alma del hombre al pudridero / con su envoltura frágil» y porque «No lo preserva el tiempo que lo borra», mientras en cambio «La piedra limpia ignora / el pasajero paso del gusano». Cuando escribió *Arte de pájaros* Neruda buscaba energía para volar, para liberarse de ataduras. Ahora canta y desencadena su rito de alabanza a las piedras como quien, sin confesarlo, busca energía para durar, briznas de permanencia y prórroga.

Quizás por azar o coincidencia (con Neruda nunca se sabía), en septiembre de 1970, pasó por Isla Negra la orfebre boliviana Nilda Núñez del Prado, reconocida artista del cincelado y de la joyería. Neruda regaló a Matilde una de las gemas de Nilda y para ésta escribió unas líneas de admiración:

> en las alturas de Bolivia, más cerca del cielo
> que nosotros y más terrenal, allí
> el paisaje es sólo fulgor, dureza,
> extensión del silencio.
> Allí comenzó Nilda a construir estrellas.
> Gracias a ella podemos tocarlas, minúsculas
> y misteriosas, para que se enciendan en mi mano,
> en tu mano,
> robadas a la sombra soberana,
> engastadas en la luz de Nilda.

## Ediciones

(1) *Las piedras del cielo*, Buenos Aires, Losada, 1970, 91 pp. Formato 23×16 cm. Reedición: 1971.

(2) *Las piedras del cielo*, Buenos Aires, Losada, 1971, 91 pp. Formato 18×12 cm. BCC, núm. 376. Reedición: 1979.

## Los textos: algunas observaciones

[POEMA] V. (Páginas 143-144.) «en octubre de 194...»: Neruda alude probablemente a su paso por Colombia en 1943, durante su viaje de regreso a Chile desde México.

[POEMA] XXIV. (Páginas 156-157.) Trasmañán, Punta de Tralca y El Quisco: lugares de la costa chilena, situados inmediatamente al norte de Isla Negra.

[POEMA] XXX. (Páginas 160-161.) «Alguna vez o voz o tiempo / [...] / en este punto o puerto o parto o muerte»: Las paronomasias y aliteraciones, recursos lúdicos característicos del lenguaje del último Neruda, fueron a veces signos de pudoroso orgullo, máscaras de la angustia.

## ÍNDICE DE PRIMEROS VERSOS

# ÍNDICE GENERAL

## La espada encendida
[1969-1970]

## Las piedras del cielo
### [1970]

# Obra de Pablo Neruda en DeBolsillo

EDICIÓN DE HERNÁN LOYOLA